湖畔隨筆 目錄

附錄：寄親友短簡

心靈的盛宴

已經出版過五本詩集的旅美詩人李佩徵兄，近來決定同時出版二本新書：「紐約湖畔」詩集和「湖畔隨筆」散文集，並囑我代爲編校和寫序，三十年老友相託，豈能推辭？我欣然應命。

「湖畔隨筆」是佩徵兄的第七本書，却是第一本散文集。在出版之前，我曾仔細拜讀過一遍。我發覺，佩徵兄的散文和他的詩一樣，語言自然樸實，絲毫没有浮華雕琢的痕跡，讀來就像老友促膝談天一般，親切誠懇而感人。僅是這一點，我覺得就值得出版了。

就其內容來看，似乎没有什麼預設的計畫，只是順乎自然，因其住在紐約湖畔，閒居時，不是寫「我在紐約」，就是描繪「湖畔」的自然風光，或「啾啾韻味」；春天來了，他就吟咏「一窗新綠」，「春來湖邊」，或是「湖畔春天」；夏天到了，他就頌讚「森林浴」，或「海水浴場」；有時候，他也去閒逛「圖書館」和「藝術家的天堂」，欣賞「畫家與他們的畫」；……這些差不多就是本書的主要內容，也就是詩人佩徵兄在紐約隱居生活層面的一斑。

另一方面，作爲一個中國的讀書人，縱然隱居異鄉，仍然無法忘懷自己的祖國。所以在本書中，作者不但以「平安夜的晚上」、「與王主赴盛宴」、「在王府作客」等篇，敘寫其與大陸留美的學生、學者交友的情形，而且也以赤子情懷，寫出了「故國深思」、「回國之想」的心聲。甚至還書生論政般地，寫了「市場經濟」、「戈巴契夫的遠見」等論評，言外之意，巴不得大陸故國也能早日走上更加開放的改革之路，讓我們的父老兄弟姊妹——所有的中國人也能早日享受自由幸福的生活。

關心詩人李佩徵的朋友們，在這本書中，一定可以獲得真正的滿足。匆匆落筆，談些感想，不敢稱序。

文曉村

一九九〇年四月十日於中和

自序

這本「湖畔隨筆」散文集，是我近年來在紐約生活中，寫詩之餘，偶有所感時，寫下的一些小品文，有如蘇東坡「記承天寺夜遊」之類的作品，多屬生活的片斷，難登大雅之堂。

這些小品之作，雖然是一些生活片斷的點點滴滴，但對我這個他鄉遊子來說，毋寧也算是生活的樂章了。所以我仍然給它相當的重視。

我對人生的看法，始終是樂觀的，不管處在怎樣的環境中，都覺得世界是一個美好的樂園。在紐約布魯克林這個地方，由於環境寧靜，心情也頗恬適，這些小品，也就不知不覺地寫了出來，原本無心成書，却是無心插柳柳成蔭了。

處在今天這個狂飈的年代，能有一顆不爲世俗所左右的心靈，的確，是一件很難得的雅事。而我也深愛着大自然千變萬化的風采，好像這山山水水一草一木，都是爲點綴人類生活而生存似的。

蘇東坡在「記承天寺夜遊」中所說的：「庭中如積水空明，水中藻荇交橫，蓋竹柏影也。何夜無月，何處無竹柏，但少閒人如吾兩人耳。」是他夜間到承天寺訪張懷民時的一段話，雖然文字簡樸，但已將閒情逸趣表現得淋漓盡致。人生活在世界上，能把我們接觸到的美景記下一些，也可算是恬適自在了吧。

一九九〇年三月三十日於紐約

湖畔新秋

從蔚藍的天空，飄來一陣陣輕輕的微風，把靜謐的湖水吹拂得像嬰孩那般美好。湖水盪漾着一層層的漣漪，顯得文弱且溫柔有致。

湖濱四周繞着各種不同參差的樹木，錯落有致的在舞踊。許是秋陽的多情，把那些樹木都暈染成各種不同的色彩，有卡黃、黃赭、檸檬黃、草綠、紺青、大紅、朱紅、棕色、岱赫、灰色多樣顏色的組合，要比一幅水彩畫美麗鮮艷得多了。

那些清麗怡情自然落墨的顏彩，都在歡愉的隨風婆娑。我覺得能在這樣多彩多姿的湖濱小息片刻，看這自然風光的逸姿，是使我們心情輕鬆愉快的最好時光。也是最好的消遣，和最好的娛樂。

秋意雖深，但是這秋天湖畔的奇景，是春天、夏天和冬天都不可比擬的。在這個秋高氣爽和煦的天氣裏，更能給予人以胸襟達觀的開朗氣息，因此，秋是没有什麼可悲的。

我愛秋天的彩麗世界，也更愛這秋天湖畔奇美的風景。

當然，春有春天的美，夏有夏天的美，秋有秋天的美，冬有冬天的美。四時佳興，雖各有不同的景觀，也許是我特別喜歡這種彩色樹葉的呈現，和彩色落葉飄滿湖畔的境界吧，踏在彩色落葉上面一步一步走到湖濱，賞玩一會這兒美麗的秋的詩趣。

讓每一片落葉演奏的琴韻，點點滴滴扣響在我的心弦上，像飽饗一餐音樂大師的午宴。然後抱着快樂心情，再踏着彩色繽紛的落葉，一步一步又返回我的歸途，可能，這就是我愛秋天湖濱的理由吧。

湖畔春天

湖水之美，美於碧波粼粼的韻味，那綠波柔柔閃動的情調，正在抒發着一層層曼妙的詩意。像一闋溫情的樂曲，一波波柔情的盪漾，扣人心弦。

那般斯斯文文的韻律，是徐緩美好的。也許，就是這樣吧？有許多的人，都着迷那樂曲的輕言細語。

這美好的湖光，就像一朵盛開的牡丹花卉，湖的周圍有數不盡的綠葉陪襯着，那佇立在湖畔四周許許多多的樹，蓊蓊鬱鬱，一片青綠，簇擁着湖的雍容華貴，不是扶持牡丹的綠葉嗎？

這湖畔樹木種類繁多，有橡樹、楓樹、松樹、柏樹和蒼老的楊柳，以及許多我叫不出名字的樹木。

在湖的對岸，突出一座翡翠色的小山峯，那小山上從山麓到峯頂，都長滿了繁茂的樹木，放眼望去，像似裝飾這個湖的飾物，那樣美好的給湖戴上了高貴的首飾，那透明的翠綠，真是綠得可愛極了。雖然湖的其他角落，處處都是綠樹濃蔭的風光，給予這個湖增加着無限嫵媚的魅力，只因對岸是山林的緣故吧？所以，顯得那顆翡翠的寶石特別的美麗鮮澄。

這個湖周遭是相當寬闊的，曲曲折折的湖岸邊沿，要步行一個小時以上的路才可以繞湖一週呢？而湖上天空的白雲，只要是晴朗的天氣時，都是舒卷自如的在湖的上空，輕輕的變幻着各種各樣的美姿。每當我在湖畔流連忘返時，往往沉緬於湖水演奏的音樂，和白雲悠悠變幻的情趣，以及樹蔭中層層樹葉縷縷葉香的詩情。
這些各種和諧旋律的樂章，常常使我不知所以的忘記了一切的塵慮。
在這兒所享有的時光，像是在諦聽着大自然向我訴說着一種訴說不盡的心曲呢？
因此，我深愛着這兒的湖光山色，深愛着這兒湖上的白雲變幻的奇景，也深愛着這兒樹林內的幽美靜謐。

一九八八年春天於紐約

春來湖邊

入春以來，好久好久没去看湖了，今天想去看看，當我走近湖畔綠蔭圍繞的林間小路時，就給我以喜悅的感觸，這不是又進入陶詩的境界了麼？一望無垠的園林，芳草鮮美，落英繽紛，都正在繞着湖水展現着春天的信息。這是多麼春意盎然的詩意呀。

而湖水好像比以往年輕得多了，是那麼文文弱弱在盪漾着碧綠的波紋，湖邊垂柳的柳絲，像一個少女披肩的長髮，在隨風輕輕的飄拂着。湖中的白鵝都聚集在湖面的一個角落，像在開生活會議似的，一會兒羣起而飛，環繞湖水上空盤旋數匝，很快樂的又降落在湖心，我還以爲是在向我舉行的歡迎儀式哩。一時使我這顆容易感動的心很感歡愉！是的，自然界的一切，就是這麼美麗啊。

這湖畔林木花草之間的生之動律，一觸目就覺得這是神之手筆的一種多彩的花園，不管我們有多麼濃厚的物慾，只要回到自然的懷抱，就會有一種偉大的力量給予我們以快樂的心情。

今天我去看的這個湖，已經是和我很熟稔了，面貌姣好雖然因季節或早晚陰晴有所不同，給人的印象也都是有不同的美好之處，就像一本人生之書，是深奧無比的，聽任你怎樣去研讀，也是不容易被你認識得清楚的。這就是湖畔春光的魅力使你莫測其高深啊。

這湖光嫵媚的風景，給我的竟是這麼新穎的吸引力，使我有一份快慰的感受，這種心情，就是澹泊胸懷，像湖水般的澹泊，如果能做到這般地步，相信心中也就沒有甚麼煩惱的思緒了吧。

我不僅是愛湖畔幽雅的風情，而周圍所有的動植物們又都是那麼安於現狀，鴿子們閒散的漫步，松鼠在林間草坪上馳騁，小鳥在枝頭鳴唱，輕風吹拂一些野生的小花曼舞着。這許多春天湖畔的詩情，都在陪伴着湖光的美好，給人以怡情的快感。因此，一到湖畔，也就不會去想到園囿以外什麼了。

湖畔

這個湖不是瑞士阿爾卑斯山下的日內瓦湖，不是我們臺灣高雄的澄清湖，也不是我們中國杭州的西湖，更不是亨利梭羅(HENRY DAVD THOREAU)住過的華爾敦湖，而是紐約教堂大道附近的紐約湖。她比起日內瓦湖富有詩意，比起澄清湖接近自然。而是未加雕琢純美的天然湖。

這個美好的湖，就在我家近旁，只要我有空閒的時候，就可以到湖邊看一些湖畔美景。她雖然面貌常常變新，但是不論春夏秋冬都有喜愛她的人們與她親近着，有些青少年男女穿着運動裝，繞着湖邊林蔭小路作慢跑，有些年輕的男孩與女孩騎着跑車圍着湖畔林蔭大道兜風。到夏秋之間，更有許多家庭全家老幼開着轎車，帶着烤爐圍繞湖畔草坪上，度着他們的假期，在這兒燒着野餐，享受着野營的樂趣。也許這就是都市生活的另一種特寫吧。

這湖是一個美麗的湖，許許多多的人都因湖畔的美好而接近着她。我這個鄰居也在有形無形之中，被湖畔美好的魅力，常常招引到她的身邊。有時，有野鴨們在湖中戲水，有時，有野鵝們棲息在湖畔的草地上，這兒常綠的樹木終年都呈現着青松翠柏的豐姿，佇立在她的周圍，而楓紅似火，燃燒着彩霞的秋天，更把湖的嫵媚烘托得美麗極了。

我本來就很愛湖，在紐約有幸與她成爲芳鄰。因個人的偏好，自然很滿心歡喜這個流浪者之家了。是的，湖雖然給了我很多的慰藉，可是我總覺得思想著在太平洋彼岸的澄清湖和杭州西湖，不知何時才能有海內外歡慶昇平的日子呢？這就是作爲一個中國人，人人所寤寐以求而心嚮往之的啊。

如果説日內瓦湖有什麼幸運，那就是她遠離了世界戰爭，一直是寧靜的亭亭玉立在世界花園的國度。我是幸運的，能有一個湖與我爲鄰，已很使我感到輕鬆愉快！何況湖邊有一個展望公園，給我展望着世界和平的明天呢。因爲陰霾過去，就會有一個彩霞滿天的明天。

紐約湖水碧樹青

森林浴

一望無垠的大森林，徒步步行在其中，像沐浴在綠色海洋中的美好，信步踏在芳草地，或是走在森林的小路上，游目騁懷一棵棵古雅蒼勁的樹木。這翠綠森林中的波濤，隨着微風翅翼掀動一波波的綠浪，散撒着原始的芳香，那芳香野花的香息，一陣陣撲拂在胸懷，這時真是舒暢極了。真感到這綠色海洋般的森林，像一個最美麗的浴缸，沐浴在森林深處，所見到的都是詩般濃蔭綠葉的美景，還有林中松鼠與鴿子們的閑逸的情趣，以及小鳥們和諧的樂曲。

不論在樹林，或是青草地上，都點綴着靜謐之美生動的畫面，使沐浴在森林中的人，都感到造物主神奇偉大極了。

在森林中漫步，除了綠色波浪給予人以美好的感觸之外，還能享受到生物界中一些友善的小動物們娛樂的活動的雅趣，更能呼吸到森林中自然的空氣，一切都是意興盎然的。

在這個環境中逗留半日，彷彿忘懷今是何世？無論從任何角度來玩賞，都覺得這是一個美麗的樂園。因這森林的詩意，已使一個現代的人能夠受用到林園幽雅的美感。

如果在家中操作日常生活的時間感到單調時，就毅然的跑到綠蔭蒼翠的森林，放蕩無羈的泡在那個美好的浴缸裏，徜徉幾個小時，儘情的享受着一個上午或下午，然後，再步行走回家中，就覺得這個百遊不厭的森林，實在是一個最好的去處。

每浴一次森林，就等於與大自然多親密了一些，在心靈的感覺上，雖不能說是心曠神怡的盛事，的確，也就是一種最快樂愉悅的休閒活動。因那些綠色波瀾，所洗滌於我們的不是肌膚的表皮，而是心靈深處的塵垢，一到了那裏，就忘懷了世間一切的林林總總。因此之故，沐浴在森林之海，是人類生活中最最高雅的一課自然科學啊。

期許

一個對於文學有期許的人，就應該對文藝作品多接觸一些，把寶貴時間用在閱讀文藝上，以吸取文人智慧的精華，好好的充實自己的文思。在今天全世界都在搞着征服星球的時代，有許多的人，心靈中都感到茫然和落寞的侵襲，也就是有許多的人，需要以人文太陽的光芒照射他們心裏所崇信的目標。那就是需要文化的洗禮與啓發，才能使人們從荒漠的峽谷中，步向智者不惑，仁者不憂，勇者不懼豁達的前路，光明磊落康莊的大道上來。

因此，人文般太陽光芒的事，不是戰略家孫臏、吳起所能勝任的，不是太空梭穿梭於木星、土星所能勝任的，那是要有先知先覺的智者，以高貴的心靈食糧來添飽人們精神上的飢渴，才能勝任的。

這些能夠發揮太陽光芒的人，那就是大智大仁的文藝工作者了。試想生活在今天世界五十億人口中的現時代的人，若是沒有一點文化的滋潤與養份，今天這個世界還像一個什麼世界呢？

我們最可怕的是人們失去了人文主義的風采，那就像沒有受過教育的禽獸一般，整日不知所之的懵懵懂懂，呼吸不到一點太陽的光芒，那才是最可怕的悲慘世界哩！這些都是今天人人都能理解得到的事。而一個對於文學有期許的人，就應對文藝努力創作，也就是要做一個與人類有益的工作者。

文藝創作者要把自己如太陽光芒的燈，燃燒得光亮一些，創作一些有益社會的作品，使我們屬於人文主義的世界，人人都能像希臘大哲學家蘇格拉底那樣「惟智爲賢，惟愚爲不肖，即知即行，是以爲學也」。也像希臘大哲學家柏拉圖那樣「愛好美與生的特性。」

我們怎麼才能做到這個地步呢？既然有所期許，就當要向聖哲賢者學習，心地要善良，處處多爲人類的互助與愛設想。這樣以來，就近乎期許之道了。

卓犖想高風

葉嘉瑩教授水調歌頭中有「燕市親交未老，台島後生可畏，意氣各如虹，更念劍橋友，卓犖想高風……」的詩句，當然，卓犖想高風的人，並非是英國劍橋的博士們所專美者，也不是美國哈佛的博士們所專美的。凡有志於事業者都可達到卓犖想高風的境界。譬如美國大發明家愛迪生，美國近代大詩人佛洛斯特，中國近代學者王雲五，和中國現代物理哲學家李政道，都可算得才能出衆，對社會有貢獻的人物。

愛迪生、佛洛斯特、王雲五都是沒有進過研究所的人，且都有偉大功績獻給世人。在學術上所奉獻的雖各有不同，但都是值得崇敬的楷模人物。只要是一個肯發奮圖强者，肯爲社會服務的人，且能適應其喜愛的事，發揮能力把成果呈現給社會，那就是一種偉大的表現了。

愛迪生在華盛頓領到的專利權證，有一千零九十九件，加上在外國註册的專利權，總數達三千件以上。這位可愛的大發明家，真是我們人類的福星。我們要向卓犖想高風的詩意力行才好。愛迪生在一次宴會中向大家說，「我的成就，只是由於辛辛苦苦的想，辛辛苦苦的做」。可見偉大如愛迪生者，發明三千多種的利國利世的科學器具，是從辛辛苦苦中得來的。

只要勇於辛苦的去做一點事情，那怕有一點什麼發現記錄下來，他爲人生生活的經驗也好，但必須是有利於人心向善爲基礎的。甚至一句詩，亦當是引人走向真善美的路，使人們心靈的寄寓之處，有一個平靜安適的歸屬。

如果能把生活儉樸得像我們中國老子、莊子或陶潛那般隱逸的智慧，也是很好的榜樣。做爲一個人，入世能爲天下善，像孔子雖不受當世器重，仍能夠從事有教無類的教育事業，而成爲萬世師表。他與出世而能獨善其身的老莊思想相比，都可算得才能出衆的人物。

只要心安理得的向前賢看齊，也就是我們中國人文思想燦爛輝煌的高風了。

僑鄉素描

公園與湖濱都縈繞在我家的近旁，籃球、棒球、足球、網球四個寬大的球場，都在公園附近。教堂大街，商店林立，這兒有兩個超級市場，有兩個地鐵站，有許多公車站，大廈像森林般一幢幢矗立在周圍。距離湖畔很近，距繁華市區亦不遠，如想觀賞林園景色或湖畔風光，散步前往約十分鐘就可到達。

如想到世界貿易中心，或是摩天大厦去觀光現代化都市，只需乘四十分鐘地鐵在四十二街下車就到了。仔細想想，現在這個僑居地，也就是一個很適合安居的地方。不論那一個國家的僑民，在購物價格上，一律都是享有平等待遇的。

假如有一天回國定居，那必然會懷念這個地方呢。因爲人是感情動物，在一個地方住過好多年之後，一旦離開遷往另一個居處，是會想念舊居之地的。像我每一想起故鄉河南信陽，或是湖北武漢，或是福建廈門，或是台灣台北，就會想念那些地方。更常想念信陽、武漢、廈門、台北各種不同的風貌。

居家只要有一安定的住所就好，若是氣候能溫和一些就更好了。美國現在這個接近湖畔的大廈，也可算得是方便的居處了。

紐約這兒什麼物質都很豐富，生活所需的一切都很便利，出外旅行也很便利，只需備齊應有的文件，旅行公司會把一切出國手續，全部辦理妥當。

不論與旅行團到東歐或西歐或亞洲，或是自己回台北或往北京和杭州，也都可由自己意願決定。這樣看來，紐約也算得一個良好的僑居地啊。

夏威夷之行

六月六日與紐約代表團乘ＡＡ航空公司班機，飛抵檀香山機場，旋由第八屆世華觀光聯誼會，夏威夷大會派車到機場，接我們下榻威基基大道喜來登大飯店，當到飯店安置好之後，即到夏威夷市區自由觀光了。七日上午九時全體代表向大會會場報到，辦理登記。報到赴會的各國代表，有美國紐約、芝加哥、洛杉磯、舊金山、西德、法國、紐西蘭、西班牙、菲律賓、中華民國、泰國、新加坡、日本、香港、比利時、大溪地、琉球等。

八日上午開大會，在喜來登大飯店二樓，會場佈置豪華，有夏威夷少年交響樂團在開幕典禮中演奏中華民國國歌，由帕瑞蒂歐女士指揮，使優美旋律瀰漫會場，該樂團有數十人之衆，並爲大會演奏許多世界名曲，仿如置身音樂會中，韻律莊嚴宏偉，爲大會增添無限和諧氣氛。當晚六時有一個「夏威夷之夜」的安排，在衣香鬢影輕歌曼舞的環繞中，晚會以鷄尾酒會使各國代表在那兒享受著歡愉的時光。

這個會場是喜來登大飯店的海灘花園。由大會節目主持人羅伯蔡和夏威夷小姐凱茜在晚會舞台上主持音樂歌舞表演節目，有夏威夷歌舞，和中國民族舞蹈，在太平洋海灘花園精彩的上演，在這個鷄尾酒會中，我們邊吃邊欣賞舞蹈和歌曲的演出。

在鷄尾酒會中，宛如一個飲食大街，處處擺滿了各式各樣的美食佳餚，彩色繽紛的食物，香味四溢，充滿了熱帶情調的溫馨。有中國佳餚，日本、葡萄牙、和夏威夷各種美饌，並有烤乳猪、烤牛肉等名菜，有啤酒、嘜太酒、水果酒，有這麼多好吃的美食和多采多姿的節目，在夕陽輝映椰子樹影的太平洋畔，這個輕鬆愉快的「夏威夷之夜」，給予代表們一個難忘的記憶，一個極爲美好的印象。

陸果毅先生自夏威夷會後，到歐洲旅遊回紐約時，說到歐洲玩了十九天，到過很多國家，除了瑞士和法國南部給他的觀感好一點之外，他仍是感到夏威夷最美好可愛了。

九日由夏威夷航空公司及郡長在喜來登大飯店設宴款待全體代表。晚間分別由當地工商界聞人分團招待，紐約代表團，由夏威夷房地產經紀人林成德伉儷在夏威夷美麗華大飯店設宴款待。十日由夏威夷美商康樂旅行社，以大巴士帶我們到世界聞名的珍珠港觀光，與南茜許小姐(NANCY HSU)共同拍了幾張雙人照片，許小姐是夏威夷大學畢業生。

在一九四一年十二月七日，日本偷襲珍珠港時，亞力桑那號軍艦上同亡的一千一百七十七位美國海軍官兵，他們的名字都刻在亞力桑那號紀念堂中。可以想像戰爭是多麼可惡的事。美國這個沈睡的巨人，雖然被日本偷襲了珍珠港，但也把他驚醒了。所以，現在仍要防備第二個日本的挑戰。

即令太空梭成功，星際大戰準備得完美無缺，願仍是一個備戰手段，並希望世界永遠沒有世界大戰發生。在珍珠港我仍是玩得很樂觀，也很開心。十一日仍由康樂旅遊公司以大巴士帶我們到波里尼西亞乘遊河船觀光當地的山水風光。

晚間在波里尼西亞文化中心觀看當地土風舞、火炬舞、草裙舞和許多驚險雜技的表演，與南茜許小姐和天馬公司董事長顧志恒伉儷坐在一塊共同欣賞。十二日乘小型飛機，飛往夏威夷羣島中另一個小島

——(KAUAI)科俄愛島觀光，該島居民有四萬餘人，在那兒由郡長熱情款待午宴。

回到夏威夷的晚上，由美國前參議員鄺友良先生，在夏威夷海上皇宮大飯店設宴款待。當晚在筵席中，陸果毅先生把我邀到演講台上，向赴宴的三百多位代表獻唱一曲滿江紅。十三日威基基海水浴場，天氣晴朗，弄潮人兒人山人海湧到海邊，這一天風和日麗，碧綠海水，映照在湛藍的天空下，是到夏威夷八天以來，第一次我一個人跑到海邊觀光的。

在美好的時光下，我跟一些妙齡女郎一聲 Take a Pecture with you? 她們就馬上OK了。當天我分別和好幾位美國少女照了許多張雙人合照的彩色照片，她們的人情味都很濃厚，表現也都自然大方。照好了，向她們說一聲謝謝，握個手，說一句再見，一切都圓滿了。

真的，玩得很愉快，夏威夷的人，都很富有感情，真是熱情到極點了。跟一些美國年輕的女孩所照的雙人合影照片，我著夏威夷衫，在浴場的美國女孩們都是穿著比基尼泳裝，因她們年輕穿三點式泳裝，裸裎一身美麗胴體，露著曲線都是非常好看的小洋妞兒。

當晚約七時到檀香山國際機場乘飛機，在十四日上午便飛回紐約甘乃廸機場。這次夏威夷之行，的確增廣了一些視野，人類的感情是微妙的，你付出友愛情愫與人，別人也會待以友善情份給你。這該是不分男女老幼與國籍種族的。一個溫馨的情誼，就能把人與人的關係拉得熱絡而親近一些。

一九八三年八月十八日於紐約

海的天使

波濤洶湧的大海，你晶瑩純白的浪花，在撲吻海灘時，是那般的熱烈和執著。我彷彿看見了大海的天使，在向她的戀人撒嬌那樣的狂態，誰能不爲她青春泉源的火苗而感動呢？

雖然，我與這大海的天使保持了一段距離，沒有與天使糾纏，那浪漫縱情的海潮噴出的朶朶浪花，像年輕天使的酥胸，展露在海灘的許多角落，已經征服了看潮人的胸臆，在默默地讚美她大膽狂放嬌姿。也因此，我早已深深的愛上了大海，以及她那波瀾壯闊的美妙豐姿。

洶湧澎湃的大海天使啊，你放縱的狂舞吧？散撒出來的這些個一波接一波的豪情，都宛若百合花的花絮，潔白的芳香是使人羨慕極了。我喜歡在海灘上，或者在海邊岩石的近旁，看那各種盪漾的海舞，就像在歌劇院欣賞輕歌妙舞的感受那般的輕鬆愉快。

在蔚藍的天空下，陽光揮灑著金色的溫情，我們在海灘上徜徉一個上午或下午，如玩著大海的天使一切動感的美姿，那就是最幸福的時光。在這兒安謐寂靜的遐想著，沒有什麼別的豪華場景比看海浪滾滾更好了，因這種綠潮衝擊海灘的激烈情調，既優雅且粗獷。

浴場海潮正濃，就在於那是屬於自然的情調吧。所以，每到夏天各地海水浴場都是擁滿了戲水的游泳者，也許，這就是很多人都愛到海邊的原因啊。更因海水的浪潮能夠消除人們胸中的塵垢，人們經過海水洗禮之後，都有一種脫俗的愉悅之感，那就是大海的天使的魅力超越了一切吧。

美國郵務員

在這個郵遞區的一個黑人郵務員，他對我不過只知我的英文姓名和住址。我對他只知是一個郵政從業員，在他作業活動偶然遇見時，不過大家互道一聲早安而已。但是這位老美的服務精神是完美的，是十分盡職負責的。

因我們住的大廈樓房，全棟大廈的APT信箱，都設在一樓大廳的牆壁上，是分樓分號特別設計的，一排排，一格格，一家一格。這種信箱與獨立房屋的信箱比較，容量自然小些，有時碰巧報紙郵件一多，小方格信箱便容納不下，也是可能發生的事。

有幾次，這位郵務員，把我信箱容納不下的報紙和郵件，交給大廈管理員，再由管理員轉交給我。後來又有幾次，這位仁兄更進一步的乾脆自己乘電梯到我家門口按電鈴，親自把報紙信件交給我。當然，每次我對他都是十分禮貌的連聲稱謝一番。

因此，我感到不論那一個國家，都會有很多好人，像這位美國郵務員，就是一個最好的榜樣。在他這幾次給我服務到家的印象中，我想在逢到中國春節時，也應該送他一個小小的禮物才對。這是屬於人情味天下一家的情分，也是中國禮義之邦的禮節，更是一種小小心意的回饋社會吧。

希望這位厥盡職守的郵務員，在他所從事的行業中，能夠一帆風順的發達起來，像這樣一位有責任心的工作者，也該是一位有前途的人啊。

爲己謀，亦爲人謀

人與人不論在那方面接觸久了。多多少少都會有一些磨擦或衝突的時候，問題在於你是否有容人的雅量。因一時某種誤會而引起的對人在言詞上的傷害，那是一般人常有的事，如果你能想起待人有失厚道之處時，而能諒解別人自私自利的心理，給予以寬大容忍的態度，日子久了，也會被你的容忍氣度，默化成一個正常健康的人。

尤其處在現代社會中，做人更當以此風度以容忍別人。處在當今之世，需要認清這個私心，才能夠在羣衆中與人周旋。否則，就不是一個有容人雅量的人了。

能容忍他人的自私，是一個胸襟豁達的人呀。在今天社會中人與人的交往是錯綜複雜的，要想做到能與人和諧相處，而能沒有隔閡的地步，一言以蔽之，那就是不要與人計較眼前的利害得失，眼光向遠看去，拿耐性克服一切，假如能夠做到如此修養功夫，實際上，你是一個超越小我，顧全大我的人。

因爲你不與人爭一時，而所爭的是向永恒生機拓展的播種者。那些整天只在計較一己或一個小團體利益的人，與我們所嚮往的大度風範相較之下，是多麼不可同日而語的？又是多麼渺小得如恒河沙數的事。

這種人的風度，雖然，不能夠人人做得到，但是只要有人知道爲己謀，亦爲人謀，是一種超然的胸襟。因此，若能把個人自私的心減少一些，社會中就能多一些健康心理的因素，人們相處的氣氛也就和諧得多了。

如果大多數的人都能認清這一點，不管在處人的態度方面，在交談的言詞方面，在共事的業務方面，在金錢的往來方面，都能夠有一個合乎情理的約制，我們的社會，就變得美好多了。

藝術家的天堂

紐約有最好的美術館，有實力最雄厚的畫廊，其藝術上的活動與推動，不但在美國没有其他大城市可與比擬，在倫敦、巴黎也都不可與之比擬。因紐約美術館中所展出的作品，有智慧的出版物，評析他們的藝術價值，能吸引世界各大美術收藏家的興趣。紐約畫廊在經營成就方面，可稱世界無與匹敵的。所以，對於藝術品稍有偏愛的人，都喜歡這兒藝壇蓬勃的朝氣。

紐約除繪畫藝術之外，還有雕塑、文學、戲劇、音樂、舞蹈等各方面引人入勝的成就，因與世界的貿易和東西文化的交流，也促使這個人文薈萃的大都市，主宰了藝術的重要地位。所以有些藝術界的知識份子，只要一踏進紐約這個都市，都會不自覺的對這兒有幾分垂青，甚至入迷的感覺，紐約真可當得起藝術家的天堂。

我也曾去參觀過大都會博物館，和蘇荷區很多家美術館與畫廊。這些藝術品展覽的地方，他們展出的作品，都是優美珍貴的東西，真可說是琳瑯滿目，美不勝收，古今中外，各家之作，不勝枚舉，觀賞起來，很是過癮。

畢竟看到了高更、馬蒂斯、畢卡索他們的真蹟，以及抽象藝術品和音樂表現派等等作品。高更的一幅「黃金時光」的畫，竟以三百八十萬美元賣出。可見名家作品，真是價值連城。因此，也給我們一個印象，當藝術家尚未成名之前，他的作品就不值幾何？當他成名之後，其藝術品的身價就不同凡響。

而現代畫家一幅油畫、或水彩畫、或彩墨畫，若是其作品本質具有一種突出的創意時，能躋身有名的畫廊展出，經過紐約時報或知性紮實的藝術出版物推薦介紹，以引起藝術觀衆的喜愛，和收藏家的雅好，往往也可以一幅畫以數千美元或數萬美元售出。這是有許多藝術家喜歡紐約這個有潛力的藝術之都的原因吧。

看籃球及其他

在紐約展望公園，經常有來自各方的青少年球員，在球場練習球藝，那些龍騰虎躍朝氣蓬勃的精神，看起來真是羡慕極了。不論球技好壞，只看他們當仁不讓的競爭行動，就足以感到人世間一切情事，都是在像打籃球那樣的效命疆場。這些爭奪的鏡頭，不僅是在鍛鍊球員的技巧成熟，也是在鍛鍊球員智能常識的增進。

我以旁觀立場看他們競爭，常常感到人世間一切生活的活動，也都是像打籃球般的在騁馳着，在撲捉着，在想投籃得分，在想勝過敵方成爲一場競技的盟主。這樣激烈的打一場籃球，是不是象徵達爾文的「物競天擇，適者生存」呢？

從一場球賽我們已把人類在各方面的競爭行爲看得一清二楚。人們用智慧在科技上競爭，也不過是想求適者生存的地位罷了。因此，感到作什麼都像打籃球一樣一分一毫没有差錯，才能贏得一場勝利的成果。我們每一個人生活在這個世界上，其實心裏都是在競競業業的像球員那樣想掌握着球，想順利投入籃筐得分。話説回來，若給失誤的一方一些慰藉，最好是讀幾行賀拉思（HORACE）的詩：

當我貧困無聊
啊，我多樂意過那儉樸寒微的生活
什麼富貴榮華都不能把我誘惑
可是當命運帶着昌盛來臨照

我將聲言世上唯一的福樂明哲
是購置田地和成家立業

雖只是短短幾行詩，其中哲理是很珍貴的。如果能了解當我貧困無聊，我多樂意過那儉樸寒微的生活；當命運帶着昌盛來臨照，我將聲言世上唯一的福樂明哲，是購置田地和成家立業。這是多麼能適應環境？又是多麼鼓勵人積極向上進取的詩呀？這詩給我們的是哲理的啓發。是不論在什麼環境中成長，都能過着心安理得的生活，只要有一顆與明哲接近的心，那就可以成爲一個快快樂樂的現代人了。

啾啾韻味

一隻單音囀唱的鳥，拖着音符的尾音，鳴轉啾啾啾啾的音調，是那麼熟悉的引起鄉思。乍聽到這隻人造鳥的鄉音，我還以爲仍是生活在台北呢？因在台北我曾擁有與這音調完全相同的鳥，所以每當它鳴唱起來時，就能勾起我的鄉夢。雖然它僅僅是一隻人造鳥，它所鳴唱的音階不如黃鶯的婉轉，使生活在異國的人，聽到啾啾啾啾的婉約之情，像是在提醒着他鄉浪子不要忘記故鄉情懷呢？

因此，每聽到那單一的拖長尾音啾啾啾的聲浪時，就使我有一種懷鄉的感覺。這個啾字是多麼富有深遠的意味呀！更那堪一連啾個二十多聲呢？那不是在說秋天又到了眼前了麼，還要在海角天涯繼續待下去嗎？不是提出百靈鳥所不能表達的忠告嗎？一想到這一點，對那單純的啾啾之音，却有一分感激的情愫，就覺那節奏是無比的輕快愉悅的，也有許多慰藉在裏面，所以，有時我發出豪爽的語調說儘量啾吧！我的鄉夢不知到那裏去了。

其實，台北也是我的第二個故鄉，不過我仍是愛聽這種音調啊。因它含有使我懷念在台灣生活的情感在內。今天雖然生活在紐約，仍有台北的鳥不停的鳴唱在耳邊，是多麼奇妙的一件事呀。

因它的鳴唱，有一種慰藉旅人鄉愁的緣故，雖然它没有鸚鵡學語的靈性，也没有八哥鳥模仿人類語言的技巧，只憑單純的啾啾的歌調，播散着清脆的音波，不論這蓬勃生趣的音符單調得怎樣？都能使一個他鄉的人感到比一個音樂家的音樂還要動聽呢？就這樣常進入詩般節奏的漩渦中，享受一些弦外之音吧。

在平安夜的晚上

田育權從台灣回紐約了，下午他到我家聊了一會，他說這次到台灣是考試眼耳喉鼻科醫師執照的。他在台灣這幾個月以來，看到台灣民間生活水準都很高，一切生活物品，比以前都漲了許多，一張公車票就要八塊錢，台北市一般的青菜一斤都要四十元。

他父親在台南成功大學任教授，學校配給他一幢教師住宅。晚上我到他家拜訪，正遇到他們在開晚餐。田醫生把我迎到他們餐廳，餐桌上已擺滿美饌，他搬一張椅子，讓我坐在餐桌一方，又到廚方拿碗盤筷子放在我的桌面上。那時李醫生很快的就把蕃茄紅燒牛肉和清燉排骨，往我碗內裝滿了，田楠大小姐也給我挾了一些青菜，王主博士也把青豆送進我的餐盤，一時，真使我感到盛情難却。

我說這樣好了，各位這麼熱情款待，給我這麼多美味佳餚，我雖已吃過飯，但仍要把大家的盛情領下去，敬陪諸位一道度過這個快樂的平安夜吧。

田醫生、李醫生、王主我們都在一塊吃過幾次飯了，還沒有跟田楠一塊吃飯，今晚是首次和田小姐在一起吃飯。飯後，田楠把蘋果、橘子、巧克力糖果都拿到桌上來了。王主給每人送來一杯茶，我們又開始吃糖果，一面聊天，一面度着這個愉快的聖誕時光。

稍後，田楠要去同學家參加一個派對，她向我說李伯伯你在這兒和我爸爸阿姨他們聊聊，我要去參加舞會了。田楠與王主就往同學家開派對去了。

我和田醫生、李醫生又繼續擺了一陣龍門陣。告辭回家之後，我在想，若我是一個人在家不出門的話，那便早已忘記今晚是平安夜了。幸好到鄰居家走訪一下，總算也沾到一點過節的空氣吧。

一九八七年十二月二十五日於紐約

人生如寄

人生都在短短的旅程中跋涉前途，像旅客寄居在世界各個角落。若每一位旅客都能愛惜所寄居的旅館，這個人們所寄居的天地，就是十分可愛的地方。人們所寄居的旅館，不是花園別墅、就是高樓大廈，一些貧窮的人，也有他們居住的小屋，那些居住平民小屋，人，也多在接近山水的風景區中。別墅、大廈的旅客有他們生活的樂趣，而居住在小屋中的旅客，因接近風景自然，有山光水色詩般的雅趣，那種生活也有其怡情悅性的樂趣。在各種不同格調旅館中的旅客，都應該有各種不同的快樂之處。若是人們知道自然風景的美好之處，把光陰當過客，把自己當旅者，旅者只是在旅館中暫時寄居一下。如果明白了這些，那人生短短寄居在世界各個旅客的生涯，就會更加可愛了。而這個世界，便是人人都可以和文友詩友們坐在花園中開盛宴，愛惜着花影搖曳的良辰美景，吟着詩，那該是多麼富有詩意的人生啊。

好店員

華埠世界書局，經銷的書都是自台灣各大出版商那兒進口來的，書籍種類繁多，所有的出版物都代表著中華文化的精神食糧。書局的從業員們，每一個人都是敬業樂羣的，一些和藹可親的年輕人，每當去買書之前，我總是習慣先在家中翻開書局贈閱的書目，在小紙條上選好自己喜愛的書名，列一清單。

一到書局時，倪小姐便欣然的接過我的字條，很熱誠的跑到汗牛充棟的書架上去找出我所需要的書來。然後計算價款，我付賬取書，互道一聲再見！就這樣，年復一年，我們交易很久很久了。

有一次倪小姐和我交易後，另送一本「我們的雜誌」作贈禮，真的使我感到很有情誼呢？別的不說，只是她敬業的那份和氣勁兒，就會讓我感到有一種溫煦愉快在享受著。

以她這麼好的敬業精神，在商場多磨練一個時期，如果她將來有興趣創業的話，不管她是幹那一行業，拿她已擁有的待人禮儀，一定會成爲一個成功的創業者。她那作業的程序，從頭到尾都是井然有序，從這一點，已證明她是一位能幹的青年。

一個人的聰明智慧是很重要的，在商場中應對自如，也在於有一種聰明的頭腦，才能把交易辦得稱心如意。像倪小姐這位既有才幹，又有和藹的服務態度，而且英語也説得很好，中文也都是很有造詣的。不論是對自己的同胞，或是對美國人，她都是彬彬有禮的接待，所以，給我的感覺，認爲她是很有智慧的工作者。因爲她在做人和做事方面都是成功的好青年。她那高水準的工作精神，實在是很值得讚美的，也願她有一個美麗的前程。

聰慧的女孩

這個鄰居的小女孩，大約有五歲的年齡吧？不知她的姓名，每天我到一樓信箱取報紙和信件時，若是遇到她在那兒玩耍，或是和她的伙伴們玩耍，她總是從老遠的地方奔跑過來，十分歡喜的向我索取信箱鑰匙，並且歡喜的說，讓我來給你開，那種載欣載奔的高興勁兒，真是惹人心悅，天真可愛，又能逗人從內心發出快慰的感覺。我每每都是由衷的摸摸她的頭，向她說一聲謝謝你，以表示對她的愛意。

相處的日子久了，她開始對我頑皮起來，她有兩次把信箱打開，把報紙信件拿出來之後，就把信箱鑰匙往地上一丟，以揶揄的姿態，嘲笑著跑開了。因爲她是一個四、五歲的小女孩，我不忍心責備她，也就只好自己把地上的鑰匙撿起來。没想到她這麼小的孩子，竟把這個當做一種取樂的遊戲。

雖然她是這樣的孩子氣，好像她很得意的模樣，但她也有逗人高興的時候，有一次她把信箱打開，取出世界日報，把報紙和鑰匙都交給我之後，她要我蹲下來，用兩隻手環抱著我的頭，把她的小嘴巴湊在我的右耳邊，不知她說了一些什麼話，反正都是孩童的話，我一點也没聽清楚，這個時候，我只感到她是一個乖巧伶俐的小女孩，既活潑，又聰明天真。

這個小女孩，年齡這麼小小的，總是這般的有趣，使我有一個新的發現，發現人生初始的階段，性情都是善良的。因此，我在默默地爲這個小女孩祝福，祝福她一直都擁有一顆童稚時代快樂的心靈，幸福之神常常伴在她的周圍，使她有一個幸福的天地，有一個安詳的永遠的人生的樂園。

黑孩的喜劇

住家附近，都是千里達、海地這些國家移民美國的鄰居，門前一個消防栓，不知是怎樣打開了，一時水聲大作，像瀑布傾泄般的嘩嘩嘩嘩向對街衝擊著，滾滾而流。在這附近的七八個孩子，可快樂極了。這些小黑孩子們，大約都是八九歲到十歲的模樣，他們興高采烈的衝向潰堤般的流水，也不顧衣衫和鞋子的濕濡，就在這水花四濺的水中跑來跑去，像跳搖滾舞似的尖聲尖氣不停的笑鬧著。那種快樂的神情真比得到樂透大獎幾千萬美元，還要高興得多哩。

他們在水中穿梭，沒有規則的蹦蹦跳跳，嬉戲笑鬧，那種童稚的樂趣，的確使我這個憑窗眺望的人，羨慕極了。在內心中發著奇想，默默地想著如我也是那般年少無知該多好，若是那樣，我會很快的跑去參與他們快樂的遊戲。因那才是少年不知愁滋味呢。

那些水流傾泄的音響，宛如熱門音樂的演奏，從那兒取得發洩童貞的歡欣，那只是他們那種年齡孩童們才擁有的活潑快樂的財富吧？因此，他們是幸福的啊。

他們在水中咆哮著玩要了很長的時間，都是生龍活虎在嘻嘻哈哈的叫鬧著，從這一幕小小的鬧劇裏，我們聯想到一些老人們在玩弄著鬧劇時，並不比這些黑孩們高明或快樂多少？這些黑孩們尖聲嘻叫的怪模樣，其實比國際舞台上喊叫的怪聲怪氣要耐人尋味得多了。因他們是發乎人性的愉悅，我很喜歡這個情調的高興勁兒，黑孩們的這些戲劇性要樂，是没有什麼規律的，從他們鬆散的形象看，可說是屬於天籟吧。

雖然他們都帶有一點野性的稚氣，但是，那畢竟是無害於人的。實際上，世界上沒有什麼別的鬧劇，比這一幕黑孩子們的鬧劇更富有使人欣賞的層面；而且更美好更能獲得歡欣的了。

越洋電話

早晨七點鐘，打了一個零字給紐約電話公司，一位美國女接線員，拿起話筒哈囉，早安！我也早安一聲。便說請接台灣，她以英語問台灣什麼地區？我把台北區號告訴了她，她問電話號碼，我把對方號碼告訴了她，她便很快給我接通了台北的電話，於是，我們互相道謝了一聲。在海洋彼岸的電話鈴響時，我以中國電話中的語調喂了一聲，便聽到曉村兄親切的口音從西太平洋彼岸傳過來了。

我說我是李佩徵，他說佩徵兄你在那兒？我說在紐約家中，他說我以為你回台北來了呢，接著寒暄幾句，就話歸正題，我們談了一些葡萄園詩社準備慶祝二十五周年的事，又談了出版「李佩徵詩選」的事，和曉村兄出版一本「水碧山青」詩選集，及評論集的事，他說與采風出版社姚家彥兄已經協調好了，又談一些他的計畫，我把在美的近況也約略談了一點。然後，又與淑嫦嫂夫人聊了一會，他們讀高中的兒子文誠明也與我談了一陣。

最後曉村兄與我在電話中又聊了一會。這通國際電話，雖是很平常的小事，却給我以莫大的快樂。因借重科技，一個在遠隔重洋台北的家中，一個在紐約我的家中，竟能在一條越洋的線路上，像促膝面談般的聽到親切的話語，真使我萬分服膺科學萬能的功用。由這一通越洋電話的啓發，就覺得人在宇宙中的智慧，實在是太偉大了。難怪愛廸生、和愛因斯坦這些了不起的大發明家們，受到人類無限度的尊重和敬愛啊。他們真是給予人類創造了很多很多物質福澤上的便利。

生活在現代社會的人真是有福。只要喜歡享受物質文明，就可以自由的受用，在與生活有關的物質方面，如果能力能夠勝任的話，一切都是非常便利的。

至於精神生活的事，便要視自己所喜愛的萬物，全靠自己作決定。一個人若能樂觀進取，珍視自己的工作，圍繞在我們四周的，便處處都是光明燦爛的好景。從這一點民間生活上一般的優越性，就可以看出為什麼人們都嚮往這種生活方式。

一窗新綠

嫩嫩的新綠，綻放在大樹的枝頭，迎接著輕盈的風，像天使美好的風姿，在窗前嬌嗔的搖曳著。看到妳淡淡的綠意，就知道春天已到人間了。妳儘情的逗弄著風兒吧？我是深愛著妳那一顰一笑的情調呀。是妳點綴了環境的美麗，這兒就是富麗堂皇的殿堂。妳知道這時我的心情，是被妳的生意給帶到詩意盎然的境界。我是喜歡一切幼苗的。因幼苗是未經過滄桑的生物，是真善美的象徵。

我熱愛綠色，更是熱愛新綠的顏料，因新綠有一種稚嫩柔和的生命，有一種未經風霜的情味，這就是我深愛新綠的主因吧？因那稚拙的麗質和初出土的情愫是美妙的。

這一窗新綠，整天伴我在窗前讀書、看報，在心靈深處，給予我許多的喜悅。雖然，妳一經夏日炎炎即蛻化成墨綠，一經秋日霜寒即變成金黃，而那是自然定律的過程。

最可喜的，是到了春天降臨時，妳將會另換一身新綠嫩柔的裝束，來到我的窗前，呈現著妳那天使般的美夢。使我的書房因妳稚氣的輝映，便覺得春光明媚起來了。那時又一次煥發新綠的美，也許這就是天籟的使然吧？如果那時妳的來臨，在我的心目中就認爲妳是上天派來給予這個周圍裝點詩情的氣氛啊。

讀書

俗語說：「開卷有益」。這句話，是鼓勵人們多讀書的好處。實際上，也真是如此。我們放眼看看古今中外許多聖賢，那一個人不是從讀書中脫穎而出呢？也有許多讀書的人，把事理明白通達之後，且把人生間的一切都看淡了，而不願捲入是非的漩渦之中去，往往有很多人，古代現代中國和外國人，他們都寧願到偏遠地方，度著遠離囂市的生活，不是爲別的，是爲了有一個清靜安謐的環境，少與複雜多變的社會接觸。

這些滿足淡泊生活的人，過著明哲的平淡生活，覺得那就是一種世外桃源的詩境。這種人對於人生體驗得特別深刻，也許認爲與山巒大川爲鄰爲友，有一種自然真趣好陶冶性靈，別人認爲他怪，在他個人認爲要比生活在紅塵萬丈中，人與人之間你猜我疑那樣好得多了。何況能夠多讀一些有益於身心的書，因讀書是最快樂的事。

若是一個整日都在功名富貴場中爭逐的人，那就大大不同於讀書快樂的境界了。逐鹿名利者，是沒有時間去讀書的，他們滿腦所思想的都是在縈懷於名利的範圍之中，可以說沒有半點空閑去翻開書籍好好的讀上幾頁的，因爲終日繁忙要應付瑣碎的事。就是想享受一下書中樂趣，也是不可得的。一個生活在工商業繁忙社會中的人，大家都在搞營利事業，誰有閒情逸致去多讀一點書呢？

有幸能有時間常常讀書的人，那就是一個在福中的人了。至於讀書真正的快樂，是在於提高個人生活素質，是在於能從許多事理中培養個人有一種美好的襟懷。雖然讀書的人，不見得都能夠入世做一翻轟轟烈烈的事業，那也是沒有什麼妨礙的。書讀成了，把世事都洞明之後，就覺得自己是一個懂得道理的人，對於有傷害別人的事，自然是不宵於爲之的。這就是書讀通達之後的美好心得。那些讀書破萬卷的人，相信他們不論從事任何一種事業，是不會做出傷害天理的事呀。

故國深思

北京是擁擠的都市，目前街頭有一幢幢現代化的建築物，也有兩條地下鐵，具有故都獨特風格的四合院，已經成爲傳統建築中稀有之物了。因北京是中國數千年來人文薈萃的重鎮，給予國人的印象是深的，那兒我還沒去過哩。至於萬里長城上之鋒火台與八達嶺，和北京頤和園、萬壽山等風景名勝，也一直是心嚮往之的。

杭州是一個吸引人的城市，在桃花開放的春天，或是桂花飄香的秋天，與美麗的西湖，那些六橋煙柳，十里荷香，三秋桂子，靈峯雪梅，靈隱寺，仿古園等名勝，都是很可去觀賞的湖光山色。人們常說上有天堂，下有蘇杭，我們總覺得杭州是一個值得觀光的去處。

武漢是我少年時住過的地方，因距我家鄉信陽很近的緣故，年輕時到漢口大智門，一住就是很久，因那時年少好奇，在感覺上就認爲漢口是一個很大的都市，實在我很喜歡那個地方。

武漢三鎮那時只憑輪渡。現在交通便利，有武漢大橋，直通火車、公車，武漢是中國的心臟地帶，就像美國芝加哥與美國新大陸一般。漢口以往已是中國商業中心，中山大道，熱鬧非常，漢正街也是商業重地，這個中國內陸的貿易商埠，是一個可愛的商業中心城市。

厦門風光秀麗，有海上花園的雅稱，就像人們稱瑞士是世界花園那般美好。民國三十八年我到厦門住了半年，那兒的民情也是很淳厚的，住在厦門的海後路，也常乘小汽艇到鼓浪嶼去遊玩。厦門是一個濱海的城市，因有一個寬闊的不凍港，所以成爲中國對外通商的一個重要海港。那兒的風景有南普陀寺，鼓浪嶼日光岩，廈門海堤，集美鰲園等勝景。北京、杭州，是我没到過的城市，武漢、廈門是我已經住過的都市，比較起來各有各的勝景。没有去過的城市要去觀光一番，已經住過的城市需重溫一次舊時感情，這就是我要回中國大陸的原因。

回國之想

以前沒有出國時，對於國外一切情況不很了解，羨慕別人在海外的生活。現在美國住了十年之後，才知道在國外生活不是一件容易的事，常常想到故國一切都是幸福的，不論在那一方面都好於一個天涯遊子。即令是一個落地生根在外國的人，內心中總像惦著一件沒有辦好的事那樣，要想回去看看家的景況那般的懸念。

到了今天我才了解許多生活在異國的中國人的處境，並無幾人是得意的，大多數人是勉強在國外謀生的。只要稍有一線曙光能夠回到故國生活，我深信人人都是戀慕舊時情懷的，喜愛故國國土的。

一個真正領悟生活樂趣的人，是不會甘於自我放逐而永遠生活在他鄉的。這是一個在美國生活十年之久的人所發出的內心的話。當然，時間會給予我考慮的餘地。早早晚晚回國之想都在我的思念中。因我流浪得太久的緣故吧？近來很喜歡讀葉嘉瑩的詩，「向晚幽林獨自尋，枝頭落日隱餘金。漸看飛鳥歸巢盡，誰與安排去住心。」「花飛早識春難駐，難破從無迹可尋。漫向蒼天悲老大，餘生何地惜餘陰。」

讀了她一九七八年的幽雅吟唱之後，心中頗有一種同感身受的情愫在縈繞著，葉教授在吟此詩的那時，正是我初次出國遠遊之際。今天我在紐約居住十年了，才領略到當時一個女詩人的心情。

是的，我是有很多地方可以回去的，台灣、香港都在考慮之中。雖然因國際關係的變化，有很多人正想從台灣、香港移民到西方國家，但因每一個人的思想與心理因素不同，往往每一個人的決定也各有不盡相同之處，這就是自由世界人們思想獨立自主的產物吧？

也許，人各有志，我也有些「餘生何地惜餘陰。」的想法，所以，我將要選擇一個距離國土較近的地方，作爲自我安排的定居之地。以享未來生活的一些優遊之樂吧。

一九八八年四月五日於紐約。

愉悅的心情

一個人在生活的過程中，若能時常保持著容顏溫和的風度，有一種和樂且心中歡喜的情緒，那就是很可貴的心情了。在這種愉快心情裏度著日子的人，他需要有淡泊的拔俗灑脫的思想，才能有一種別人不容易得到的愉悅心情。

總而言之，就是要突破貪婪的心緒。作爲一個人，只要生活上還可以維持衣食住行的需要，能夠度著不虞匱乏的生活，也不要太貪心榮華富貴，有了這種寧靜的思想，就比較容易培植出一顆平淡而愉悅的心情。

因爲這樣，我們的人生觀就有一種知足的滿足感。有了知足的感情在充實内心的情緒，就會感到宇宙間一切都是可愛的。宇宙之間與我們既是這樣的可愛，我們的心情怎能不快樂呢？

心情愉快，是人生最可貴的寶藏。我們看到世上許多長者，健康愉快的生活著，他們也許是很有智慧的智者，有的也許只是和我們一樣平凡的人。但他們這些人瑞能夠知足常樂的生活到一個世紀以上，無疑問的，他們的生活情緒，必然是沒有什要煩惱苦悶糾塵著的，是必然都是心情快樂的。

我們要想保持心靈健康，就必須首先把愉悅的心情保持得好，凡是日常生活中一切事情都要向歡喜快樂方面設想。一切感觸的事，也儘量的向愉快方面著想，即使偶然有不愉快的事情發生，也要看得開朗一點，對於世事，不要有貪心太多之想，這樣，我們就擁有一顆愉悅的心情了。

在進佳弟府上作客

今日上午黃進佳弟來電話，約我下午五點五十分到中國街大東銀行見面，然後我們乘六號火車到中央車站，轉乘M車到紐約上州他的家中。在電話中我原想到他家拜訪一下即趕回家來。可是到他家時天色已近黃昏，還飄著毛毛細雨，車站距他家約有三十分鐘的路程，再加進佳和他夫人易潔卿女士都很熱誠的留我在他們家住一宿。

晚上陪他賢伉儷共進晚餐，與他們閒聊了一會，然後，在進佳的書房進入我的夢鄉。因爲他家住在紐約上州白人住宅區，環境幽靜，樹木林立，一片紅花綠葉圍繞在社區周圍，雖然已到晚上，還能聽到林間傳來鳥鳴的樂聲，也真能使人感到自然美景的怡悅情趣。

次日清晨八點鐘我就起床了，因昨晚下了一陣小雨，今晨的空氣十分鮮美清新。進佳弟許是聽到我已起床了吧？從他房中走來問我昨晚睡得好嗎？

潔卿女士已懷有數月身孕，約在今年十月就要生他們的第一個寶寶，據說是男孩。稍頃，潔卿也來了，到廚房把早餐料理好了，我們又在一起享用美味的早餐。餐後，我們就走出他的家，在他們居住環境附近，我們三人一道走了一段路程。潔卿因到附近街頭要買一些東西回家，我與進佳乘車到中央車站，轉車到紐約中國街了。

進佳、潔卿都在紐約州政府某一機構任職，兩人年薪合計美金六萬餘。他們一對年輕的恩愛伴侶，中文、英語都有造詣，都是美國大學電腦系的同學，由戀愛到結婚，感情都很好，且已有了愛情的結晶。

並且在事業上正在共同努力上進，他們力爭長進的精神是很值得敬佩的。能有幸認識他們做個朋友，也就很感快樂了。

一九八八年七月二十四日於紐約

與繼藻兄到公園小坐

剛才榮繼藻兄來約我公園小坐，我欣然與他同往。繼藻是漢中人，現居紐約。他的公子榮漢璋全家四人都已移民到此。

到公園時，時已近黃昏，但是公園的晚上仍是多彩多姿的，時有情侶雙雙漫步其中，在公園照明燈映照下，遠遠看去，頗有一番綺麗美好的情調，加以晚間涼爽的氣溫，隨著夏夜的清風送來一陣陣的花香和樹葉的香氣，我們坐在那兒也感到夜的空氣十分的可愛。

繼藻兄與我都是二十歲從個人的故鄉出外闖蕩的人，各自都在外四十多年了，雖然每一個人的生活經驗不同，但因都受著同一時代的薰陶，對世事的諸多問題，多少還是有許多看法是接近的。正如受著時代浪潮的洗禮，而所感到的民間生活的疾苦，與世間滄桑是大同小異的，所以我們談起天來，都是海闊天空感慨很多的。

今晚小聚，我說在美國過些年後，要選擇中國領土台灣或香港去定居。當然，他因祖孫三輩都已移民紐約，他的兩個孫子都在美國讀書，很可能對我的展望未來，是別有看法的。他婉轉的說，那是以後的事，現在最重要的是首先使生活過得愉快，保持身心健康，對日常起居飲食要自己照顧好一點。

過些年的時局變化，或許與現在的想法都不一定完全相同。到那時心理變化，也可能促使你另有想法。他的這一啓示，的確，是一種先見之明的論調。一個人在做某一件事之前，若是所說距採取行動的時間太遠的話，那實在是一種狂想曲吧！

若干年後，這個世界變成什麼樣子，誰也不敢預言。雖然每一個人內心中都有一個自己所憧憬的好夢，因處在一個亂世中，每一個人美麗的嚮往，都要隨着時代的巨輪而定。

最好是繼藻兄所說的先把目前的生活調整得快樂一些。只是自己的身心健朗舒適，再過多少年以後的事，就留待到時再決定去做吧。

一九八八年八月四日於紐約

圖書館

現在旅居美國的這個家，是沉默的，也是寧靜的，家中到處都擺着書。這些書籍，不論古今中外一本一本都具有聖哲的思想，只要有興趣與他們接觸時，就會從書中獲得許多有趣的真理。每一個詩人所吟咏出來的詩篇，每一個散文家所撰寫出來的文章，都是很可愛的篇章，很能感人的文學作品。

在這個書室中，這些作家個個都是安貧樂道的人，都是不平凡的文藝工作者，都有一顆赤子的愛心。不論大詩人，大文豪，大哲學家，這個書室所擁有的就是如此這般的作品。

對於這些大思想家、大作家來說，我是非常尊重他們的學術地位的，並且把他們當作益友。不管他們是中國人，是外國人，是老、是少、是男、是女、是古代人、是現代人，因爲他們都具有其個人淵博的哲學基礎，及其豐富的人生經歷和學識。我所以稱這個家爲圖書室，是因爲他們洋洋灑灑的作品，圍繞在周圍，隨我興趣，願研究誰的思想，就研究誰的思想。

畫家與他們的畫

梵谷(Vincent, Van Gogh 1853–1903)這位原籍荷蘭的畫家，他一生熱愛貧民，他做過美術商店的店員，也在礦區爲工人服務過，因爲同情勞動界，致招礦區當局所忌。對於那些勞苦者不能幫助，終於想出以繪畫發洩胸中的遺憾，由此踏上美術的道路。繪畫不能謀生，幸而他弟弟可以供給他生活。他在巴黎結識了許多畫家。

他說：「色彩像音樂一樣，是一種震動，以兩種補助的色彩來表現愛，以兩種相關的色彩發出一種神秘的顫動。以一種淺色的光輝置於幽暗的背景上來表現思想。以一顆星來表現希望。以落日餘暉來表現人性的溫暖……。」他對於藝術有如此生動的認識，所以他的「鳶尾花」一畫，一九八七年在紐約的拍賣，竟以五千三百九十萬美元賣出。梵谷的「向日癸」一畫，也以四千一百三十萬美元賣出。

我們再看畢卡索(Picasso 1881–1973)這位出生西班牙的藝術大師。在近百年來的西方藝術，他是一位創作活力充沛的大畫家，一九〇一—一九〇四年畢卡索從西班牙到巴黎，尚未成名，經常出入蒙馬爾特閣樓間。蒙馬爾特的夜生活世界，是貧窮寂寞和憂鬱。一九〇五年在巴黎畫室完成的一幅「賣藝者與小丑」，一九八八年十一月下旬在倫敦克莉斯蒂拍賣場拍賣，這幅畫被日本三越百貨公司代表西野先生以兩千九十萬英鎊，合美金三千八百四十六萬元的高價買得。畢卡索早先一幅「母性」，一九八八年十一月十四日在紐約亦以兩千四百七十五萬美元賣出。

畢卡索的這幅「賣藝者與小丑」那瘦弱的身軀，一種落落失歡的人生，表現得鮮活極了。畢卡索的藝術風格是常常變化的，不論以「古典趣味」「田園情調」或「水墨表現」各種技法，變換應用都能隨機而作，樣樣可以成爲精品。他的藝術創作，永遠富有活力，對生命表現始終維持着極高歡愉。

從梵谷與畢卡索這兩位畫家初出道到巴黎來看，他們當初都是很窮困的畫家，而到今天一幅畫就可以賣到四千萬美元的高價，這自有他們的道理存在啊。

也許，因爲他們把人道的精神發輝的唯妙唯肖吧？梵谷與畢卡索這兩位畫家，他們的一幅畫就足以抵得上大都市幾十棟高樓大廈的價值。想當初梵谷初抵巴黎出入蒙馬爾特閣樓時，那是多麼貧窮呀。

而今，他們的藝術品，竟能以數千萬美元一幅的高價賣出，真是他們當初也不能想像得到的事呢。最可貴的，還是他們都能以堅强的毅力從事於藝術生涯，以使其藝術造詣達於最高境界。

一九八八年十二月十日於紐約

王主宴客

王主博士來電話約我到他家聊聊。他說有幾位紐約大學博士班的研究生在他家，要給我們介紹一下。在電話中我說很好，馬上就來。王主是湖南長沙人，在東北長大的，是一個二十七歲的青年學者，朝氣蓬勃，熱誠好客，在南京大學畢業後，即以優異的成績來美讀博士學位。

在感恩節這天，他的幾位物理學家朋友到他家過節，四位學人王雲來自杭州，錢曉文與華龍來自蘇州，周斐來自北京，王主都一一與我們介紹了。這是一段與我們的未來博士小聚的時光，他們都是二十多歲的青年才俊之士。

王主當晚備了八道大菜，餐桌擺滿了豐盛的佳餚美饌，大家喝着啤酒，和這幾位物理學家們觥籌交錯，互祝好運，快快樂樂的渡過一九八八年的感恩節。我相信這些年輕的學者們，學成之後，都將會以個人的專業成果貢獻於人類，爲人羣創造有利的成績來。這些中國的菁英之士，前途正未可限量。

王主是一位很活躍的年輕人，他不但學有專長，是專業俊彥，且興趣廣泛，交遊廣闊，對於籃球、溜冰、弈棋、電腦樣樣皆能精通。對於生活藝術也很重視，做人方面，也能做到少年老成，面面俱到的地步，是一個具有豐富感情的年輕人。

感恩節的晚上，酒席散後，我也陪他們打了十二圈麻將，當然，跟年輕人在一塊打麻將，是屬於餘興的娛樂性質，都沒有計較輸贏，全是嘻嘻哈哈熱鬧得不亦樂乎。

我有幸參與這個感恩節的盛會，大家歡聚一堂，吃喝談笑，歡渡愉快的一個晚上，也許這就是生活藝術的快樂的一章吧？跟這幾位青年學人們在一塊談笑風生的談天説地，使我也感到彷如回到二十多歲的年華了呢？當我和他們乾杯的時候，我是誠懇的在祝福他們前程似錦。學術、事業、婚姻都能一帆風順的抵達成功的境界。

一九八八年十一月二十五日於紐約

作者與王主博士站在紐約湖畔

紐約華埠

這是中國人聚集的一個商埠，位於曼哈頓下城，是自由世界一個比較繁華的商埠。台北西門町、東京銀座、香港彌敦道這些商埠，差堪比擬。若以國際商品完備而言，紐約華埠仍佔優勢，因這兒的商品是集世界一百餘國的大成。

在華埠數十條街道的商業大樓，有數十家銀行，有百家珠寶，有數不盡的百行百業，都是一片欣欣向榮。不論是華資銀行，美資銀行，英資銀行或瑞士銀行，每一家行員與經理都有中國人任職。任何一種商業公司行號，純中文市招，中英對照市招，爭奇鬥勝，熱鬧非常。

在華埠經營商業者的國別，中國人的比重多於美國人。我到華埠購物時，接觸的多半是中國人，偶然，也與老美有交易的時候。街道上熙來攘往的人，也多是中國人多於美國人，這只是華埠一地。若到其他的商業街道，自然是美國人屬於人潮的主流。

因爲華埠象徵著黃皮膚的世界。所以我常到那兒去看黃面黑髮，跟他們購物。買一些日常用品，或各類食品，歸來，一晃就是一天的日子。

第六大道、第七大道曼哈頓鬧區，有時也去那兒與金髮碧眼的美國人擠來擠去，或是在馬路上搶先一步斑馬線，玩味一下另一種現代生活的風格。當然，華埠仍是我經常來往的去處，因那兒是我們中國語系的集中地。雖不完全是國語，但是，還能聽得懂，講得通的。

一個人不要說生活在美國，就是生活在中國，各省各市、各地都有不同的方言，譬如廣東、上海、四川、台灣，在語言上的音色音調都各有特異的發音，處於那些地方，也像到了一個陌生的境地，在語言的溝通上，也是不容易適應的。因此我感到紐約華埠的中國人講起各種不同的國語來，也還算是一個比較親切的地方。

哈德遜河畔

是距離我家只有十分鐘車程的一條河流，從布魯克林繞向曼哈頓，橫跨紐約大鐵橋，地鐵道和鐵橋上的公路。當火車和汽車通過哈德遜河大鐵橋時，不論是晴朗或陰雨的天氣，是早晨或是黃昏時候，都有一種不同的氣候閃耀在哈德遜河床的周圍。每當經過哈德遜河時，不管是乘火車或是汽車，放眼哈德遜河的美景，都有不同美麗的感覺。

看那河流中汽艇昂揚的穿梭在河面的神采，是那樣飛揚不羈悠然自得的風光。那些輪船模樣和大小不同的款式，和各自行駛的方向，雖然各不相同，每一艘船奔向各自前程昂揚的意向，都是那麼瀟脫和放浪自由的。只這一點印象，就給人以快樂之感。

哈德遜河兩岸佇立的高樓大厦，在紐約市區形成一種特別繁榮的景象，是一個無與倫比的奇景。曼哈頓地區的上城中城和下城，都有櫛次鄰比的大樓林立著。放出奇異的光華。這些建築物形形色色美與力的突出。就是紐約這個都市位於世界經濟中心之首的原因吧？

現在，我生活在哈德遜河畔，這個美好的河，到中國街或到第五大道時，都常常看到那河流旖旎的風光，因此，也給予以眷戀的情懷。當我想起多少年以後，對於哈德遜河畔的印象，也許永遠是美好的。這個不是屬於現實或是什麼理想的事，而是一種感情上不易輕而揮去的事。因我已在這河畔周圍生活了十多年的日子。

在朝霞輝映，或是夕陽落照的時候，哈德遜河照出來美麗的霞光，都像油畫上的線條那般美好，給人以輕鬆愉快的樂趣。一個浪跡天涯的人，爲了追尋自己最喜愛的生活情調，是免不了遇到一城一鄉或一山一水，各會感到有些親切感情存在的啊。

一九八九年一月十六日於紐約

市場經濟

市場經濟，是理想購物的商場經濟，不管是吃的、穿的、住的、行的、裝飾用的、享受用的、娛樂用的等等。人們生活在市場經濟的世界中，處處都能感到方便。只要財力充沛，自己就可以自由支配著食衣住行及一切受用方面的事情，這是自由經濟市場最最優越的一面。因爲市場經濟是建築在給人們福利的樂趣之中。人們只要有足夠的財力，山珍海味，高級衣著，豪華大厦，別墅洋房，勞斯萊斯轎車、翡翠、鑽石珠寶、名畫、古董，願意如何就如何享用。這說明在無形中人們已對社會有了納稅的貢獻。

凡是具有市場經濟的國家，都有商業繁榮，工業發達的現象，人人都有力爭上游的工作精神。因爲人人了解，只有自己願意幹，才可得到較優報酬。僅美國一地即擁有兩萬五千人以上是個人財富都在兩億美元以上的富者，加上洛克斐勒、福特等大富豪的財產，將達世界全資產的一半。

因爲人人都希望著自己富足起來，市場經濟實在是給人們以爭取發展個人前途的空間。只要肯努力工作，無論百行百業，在所學的專業科系有所成就，有所創造，有所發明，經營專業的學問和技術，自有發展成長的前景，以創造出個人的事業來。在社會上雖有酒家、舞廳、歌廳、歌劇院等供應人需求的商場，澳門葡京大賭場，美國大西洋大賭場，摩納哥蒙地卡羅大賭場，和世界各國股票公司，這些在稅收上實有可觀的收益。

因爲市場經濟是與每一個人的切身有關，所以世界上有兩百多個國家的人都願過這種生活。在精神上只要是一個有守有爲的人，在市場經濟的社會中，是可暢行無阻的。

只此一點，生活在市場經濟社會中的人，就是有極大幸福的了。也是生活在理想樂園中的人。世界上唯有市場經濟的互通有無，才是領導羣倫最能適應人心的。

一九八九年一月十三日於紐約

與何侃兄小敘

何侃兄剛來電話，說他這次到台灣和大陸玩了三個多月，剛從大陸回來，他說馬上到我家來聊聊。三點鐘他來到我家，談到他與夫人回台灣住在台北他妹妹家，並到高雄、阿里山等地去旅遊了很多天。他說台灣一般人生活水準高得不得了，物價、房地價在不斷的上漲。

中國大陸，他們到廣州、上海、桂林、杭州、蘇州、北京、西安、武漢和家鄉咸寧，都去看了。台灣與大陸比較，他說過些年要想回國定居，台北不適合不富有者居住，北京也不適合，北京夏天灰塵很大，冬天又太冷，西安仍是很落後，杭州街道上到處人潮洶湧，武漢、上海也都很擁擠。大陸仍不可回去定居，不在於地區落後，也不在於都市人太擠，最重要的關鍵，是在精神文明趕不上潮流，市場經濟仍然落後別國。若是過些年真想回國定居的話，也只有台北、香港兩個地方比較合適一些。因這兩個都市，仍是每一個人都擁有人們個人自主權利的地方。

一九八七年十二月三日於紐約。

好自爲之

昨晚睡得正香甜時，彷彿上帝進入我心靈的殿堂，向我說你不是需要寧靜的人麼？現在已經有如此寧靜的園地。要好好珍重這一片淨土，靜下心來，作你愛作的事，文藝創作，新詩吟咏，讀讀聖哲箴言，這些都是打發時間的最好辦法。因上帝知你沒有別的能力，能爲社會貢獻什麼？更不要說參加什麼宗教，或什麼團體。

既是一個不善周旋於團體活動的人，只要閱讀一些喜愛的詩文就好。一個不是對什麼都有狂熱的人，就應該像中國古代隱士，只結交少數知己友人，以讀書作消遣，若能寫一點作品出來，就是對於人類的貢獻。

這個世界是一個樂園，你就安穩的做一個現代的隱者吧。因爲你正在盡力從事文學藝術的創作，能夠這樣，好好的生活下去，心中常有一個神明在上，平平安安，悠閒度日，就已經夠好。

有空可到園林、湖畔逛逛，這都是你喜愛之處，與伊甸園沒有什麼分別。當一覺夢醒，感到上帝的話，真是純潔真誠。

就像大衛詩篇所說：「都比金子可羨慕，且比極多的精金可羨慕，比蜜甘甜，且比蜂房下滴的蜜甘甜。」當咀嚼到此，就想少作一些品玩文學之外的事，應當好好接受文學給予人生的體驗，寫一點值得一讀的詩篇和散文，策勵自己成一個邁向真理的人。

生活在希望中

美景是要自己創造。生活在自由開發中的人，都已經擁有一個美好的園地。在自由經濟的範圍，都是生活有希望中的人，人人可憑自己的工作能力，自己的頭腦和創業思想，以達成美好前景的希望，努力創造事業，爭取報酬所得的利益。

因在生活中有一個美好的希望，知道創造的利益是用以改進自己生活環境，把美景造成之後，都是由自己支配受用的。這就是生活在希望之中了。

作爲一個人，幹活要幹得有希望，才是合乎人情之所需。生活在有希望的環境中，不論誰都會用心用力的去爭取工作報酬的價值。

即令是一個小小的勞動工人，在開發的環境中只要每月每年都有固定的收益，就足夠分期付款購買所需的房屋和轎車，這就是生活在希望之中了。

我在紐約

在紐約每天的生活是單純的，日間看一點世界日報和星島日報，以了解一些國內與國際的新聞，或閱讀一些散文、新詩。有時到公園林蔭道中走走，或到湖邊留連一會兒，散散步，看看湖畔風光。這些旖旎的湖水，在內心的感覺上是平靜且有詩意的，周圍綠蔭閃爍，藍天綺麗，感到這就是最富感情的一塊小小的天地。既有多彩多姿的自然之美，又有園林環山繞湖的豐盈之姿。

因湖上雲霞，都是悠然自得的，都是慢慢的蛻變着生活情調的。許是我的生活情趣是接近自然和酷愛山水的吧。

我的生活是平凡的，每月都要接到電燈公司、電話公司、瓦斯公司的帳單，也要乘車到每家公司跟一羣美國白人黑人擠在一道排長龍，繳交一切費用。每月也接到大通、美華各銀行的月報帳單。常常到教堂大道美國超級市場，或是韓國商店買些蛋糕、水果生活食品和日常用品。也時常到曼哈頓下城中國街向中國僑胞買些海鮮生活食品等。

關於台灣是我在那兒已生活三十年之地，有時，也接到葡萄園詩刊社長文曉村兄和散文家詩人謝輝煌兄，葡刊發行人王在軍兄，和女詩人宋后穎女士他們的信件。大陸家鄉河南信陽我的侄子李永信也常有信來告訴我一些家中近況。

我在紐約，這麼多年以來，就是這樣度着淡泊生活，一眨眼，十一年歲月，就如此寫進清靜無爲的史册了。

這種生活，若說不好麼，可算是逍遙放蕩。如果說好麼，却也要有一分內斂能耐，才可擁有蕭蕭少年灑脫的豐采吧。

一九八九年十二月十五日於紐約

新鮮日子

當從床上起身，第一眼便看到窗外的一片美好的日光，這是一年三百六十五日常常見到的好日子。因昨夜在夢中所見與今天的日子完全不同。當看到晴朗日光照射周圍時，一切都是開朗氣氛圍繞在身邊，誰能不感到這個日子新鮮可愛呢。

因日光使宇宙萬物都恢復了活躍的生機，不論動植物和所有的生物，都在宇宙中展開了蓬勃朝氣的活動，這一切映入眼簾時，便感到這一天又有一個新的開始。如果碰巧是一個陰雨天氣，就看成是滋潤心靈的時光，心中便感到可愛。只要認爲每天都是一個新鮮日子，不管陰晴如何變化，在心理上都會覺得可愛。

晴朗天氣固然是好日子，但在自然界的需要之中，陰雨是少不了的，因爲五穀雜糧、菜蔬等農作物，都是需要雨水成長的。

在每一個早晨，看到明媚的日光，就感到是新鮮的一天。因天氣磅礴的氣流，正在孕育着成長的花朵。

每日感到新鮮，就如孩提那般的可愛可喜了。所謂日日新鮮，是與一切俗務無關的，凡是一牽到現實一面，就沒有什麼輕鬆愉快的感受了。

像古今中外一些聖哲賢士們識透了人生那般美妙。那樣才能感到天天都在新的氛圍中生活，當然，每天都是一個新鮮好日子，這要在自己去掌握著日子的好處。而且要善於把日子用到快樂的生活中去。

這就是自求多福的一種心理作用，我們要認爲每一天都是一個新鮮的好日子，有這樣的心理前奏，那麼每天就是一個新鮮的好日子了。

紐約湖畔風景一角

美好社會

在紐約三十四街地鐵站，找遍了標示牌，只看到一、二、三的標示，當時没有帶地鐵地圖，一時不知如何是好。幸遇一位中國女郎，便趨前向她請教，這兒怎麼没有D車和Q車，我要到布魯克林。

這位中國小姐馬上以熱心相助，她說請跟我一塊上車，到四十二街轉D或Q車就好。便與她坐車到四十二街站，下車在月台上發現這個四十二街站仍是没有D或Q車的站。她說我幫你找到有D或Q車的站，便在該站坐N車到另一個三十四街站，下車即發現有D和Q車了，她才算完成了以智慧權力俠義助人的義務。後來，她愉快安心的和我話別。

這雖是一件小小的事，在今天這個工商和科技發達的社會，就是一件難得的好人好事。這位朱小姐犧牲自己趕赴前路的時間，替一個迷途者作出美好的指引，若不是一個心地美麗年輕熱情的人，是不會如此熱心助人的。臨握別時她殷切叮嚀着說，要好好小心的看站牌啊，互道再見就分別了。

在車上我問她在台灣讀那家大學，她說在台灣大學農經系畢業，和李登輝總統是同行，可惜沒當副總統。這話是一個風趣幽默的談吐，我以慰藉口吻說不當也好，現在你多輕鬆自由呢？和你夫婿都正在年輕的黃金時代，你們携手共創事業，度着灑脫快樂的生活，不是很感受用的麼？她以輕鬆的微笑，顯出愉快的心情說，你說的是呀。

在談話中都很感愉快，人與人的際遇，就是這麼微妙，像她這般慷慨的青年女士，真把這個社會美化得很好。

如果社會上的人們，都有這麼美好氣質以助人，我們這個社會就是一個最和諧的世界了啊。現在，默默的祝她未來前途光明燦爛！一片好景。

一九八九年五月十日於紐約

與王主赴盛宴

早晨八點多鐘時，王主意氣風發的打電話來，約我逛公園去，正好我好久沒有接觸自然風光了，我們就決定馬上出發到展望公園(PARK LOOK)。因這個公園是紐約教堂大道附近一個園林，比起曼哈頓附近的中央公園是各有千秋的。

這裏的樹木葱蘢蒼勁，現在正是盛夏時期，楓葉依然是綠色，尚未變成紅色，松樹、柏樹、橡樹和其他許多不知名的樹木，都是綠油油的佇立在這個龐大的園囿中。向遠望去，像一個無盡的綠色海洋，給人以心胸開朗，極目無限快樂的感受。說是赴盛宴，也許就是心靈的盛宴。到了滿園綠色樹蔭之下，狂放的逛着逛着，不時饕餮着林莽之美的大餐，也尋覓一些奇美之景，照了許多彩色照片。

在遊逛的時光中，也彼此交換了一些感想。王主是一個青年物理學家，只是一個二十餘歲的年輕人，也許是生長在國家多憂的時代，時代的熔爐，把他薰陶得也有些憂時之感。如果國家處在澄平盛世的時代，王主以核子專業科技，服務社會和人羣，以他如日初升的年華，只要願意貢獻熱忱，前途無限光明遠大，是毫無疑問的。

今天去遊逛的這個公園，園地相當龐大，已遊玩了兩個小時，還沒有看到五分之一的園景。一面逛着，一面聊着，他問什麼時候回中國大陸去看看？我說想對事情未來的觀測，有了一個眉目時，再作回去看看的決定。他說你要期望大陸民主了才回去，那要等到什麼時候？我說看到稍爲隱定一點再說。逛着逛着，時間已近中午，因玩得高興，都感到很愉快，最感到心曠神怡的是我們共赴了一次心靈的筵席。

看到那些如原始林莽的綠樹濃蔭，在太陽光芒的輻射下，我們徜徉在綠樹陽光的懷抱。談吐着胸中那所欲談吐的話，無須顧慮到別的什麼，也沒有半點敏感的干擾，這就是上天賦予我們一切自由的可愛了吧。

一九八九年八月二十九日於紐約

白雲悠悠

白雲這個東西，是由於宇宙的大氣形成的。在湛藍的天穹背景烘托下，安閒自在的飄忽着，以變幻無窮的美姿飄着。且越看飄逸的動態，越對她感到有無限美妙的情趣。那是使人永遠百看不厭的一種自然風景。不管悠悠白雲變幻成什麼樣的形象，看來都是玲瓏透剔可愛極了，是那麼灑脫自如風情萬種的模樣，有時看她是什麼就像什麼。那是何等神奇的一種浮雕的形象啊？但那種形象，只是一刹那間的事，就像人心的變幻，貶眼之間，就又變幻成另一種美麗的浮雕形象，雲就是如此多變，而且不留痕迹的。

在晴朗天氣時，大都是白雲優遊在天際。如在晚晴落照時，也有彩雲映照在遠天；若是遇到陰霾氣候，也有雄偉壯麗的烏雲出現在天空。不論白雲，或紅黃綠紫的彩雲，或濃淡互映的潑墨的烏雲，都有各自動感的詩意情調在變幻着她們的逸姿，這就是宇宙給予我們的一種偉大的贈禮，使我們從雲中豐收到無限的寶藏如詩情。

多看一些雲的變幻，看她無窮無盡的悠悠神態，因那是一種富有詩情的風物，對於人的心靈是有益的，給人以聖潔和磅礴大氣的美感。那種安閑自在的樣子，豐盈美麗極了。

這藍天之下，白雲舒卷的美姿，在我們的心靈中，就會自然有一種浩然正氣的嚮往。那是天地浩然之氣的力量，藉雲絮滾滾的演進而蛻變到我們心靈中的一種自然現象。

雲是屬於自然中的美麗風景，人生也像雲一樣時常在變幻着思緒。因此，看白雲悠悠的那種灑脫狀貌，好像在人間繪製着美術極致的圖案，向人間演奏着行雲流水的樂曲。只憑着一抹藍天與麗日的背景，就把一些無限的詩情寫在蔚藍而遙遠的天際了。

海水浴場

中午王主、田楠我們到紐約明亮海水浴場，觀賞了一會兒海浴風光。去時由田楠小姐駕車，回時由王主博士駕車。到達浴場時，選擇了一個距離海水較近的海灘，鋪好床單，張開座椅，打開手提冰箱，喝着可樂，吃着巧克力餅乾和水果。就展開觀賞浴場風光的活動，看那一波波新潮湧向海灘的浪頭奇景，展示了雄偉壯麗的美妙之姿，以後，又一波波的回歸大海去了。那種奇峯突起的强勁生機，和落寞歸海況味的景觀，却已給予人們發人深省的情思。

海灘上成千游泳的人潮，男女老幼，各色人種，蔚爲奇觀。有穿比基尼泳裝的少女、少婦，也有八十多歲的老夫老妻，他們都下海衝浪一番，或泅泳其中，或在淺水處嬉戲一會兒。王主和田楠，只是赤脚携手到海邊淺水處，漫步淺水中，迎接着衝來衝去的波浪，象徵性的與自然接觸了一會，享受一下浪漫蒂克的情味，他們鼓勵我下海去接近一下自然韻味，我没有下水，只是作了一個在海灘上的欣賞者。

王主、田楠都是會游泳的人，今天也没有大顯身手，僅只是漫步在淺海灘中而已。所以，我只是看了一會別人放浪的美景。但飽餐了一次美國妙齡女郎燕瘦環肥的胴體曲線美，也聆聽了一次海浪弄潮狂放交響曲。

這是我從一九八三年在夏威夷威基基海灘回來之後，第一次與王主、田楠這兩位儷人到紐約明亮海灘的紀錄。他們的婚姻進行曲，正在演奏之中，距離走向紅氈的那端就快到了吧？祝福他們像在明亮海水浴場彼此牽着手，漫步在一波波海潮洗禮的快樂氣氛中。雙雙對對，永浴愛河，就像我們看到的一對美國老伴侶那般恩愛，兩情繾綣，直到永永久久。

一九八九年九月十一日紐約

費小姐紐約假期

早晨七點五分，費小姐來電話問我準備好沒？我說已經好了，她說七點半到你那兒去，到時我們就到 CHURCH 地鐵站。乘 D 車到 DEKALB 地鐵站，乘 Z 車到皇后區站下車，八點四十分到移民局。排隊把資料交給辦事員，約十一時許叫出我的號牌，到辦公處，經移民官詢問，均由費小姐翻譯，然後舉右手宣誓一番，即到工作許可證辦公室照像。稍後約半小時，承辦人將臨時工作許可證和英文文件交給我了。

費小姐是和藹可親，在辦移民期間，與移民官接觸時，她總會製造一種和諧氣氛，在她與他們用英語交談時，在任何場合都能給人以愉快的好感，會增加辦事人有一種美好印象。在一個陌生場合，本來就要有一點輕鬆和諧之氣，才會使大家感到活潑快樂一些。

今天順利的把事辦成之後，感到非常開心，我們在皇后區街上閒逛了一會，在逛街的時候，找了一家美國西餐館，費小姐在餐單上點了一份沙拉，兩客漢堡，兩份冰淇淋，兩杯可樂，我們愉快的吃了午餐。

乘車，在回家的路上，費小姐說只要她在紐約時，若有需要幫忙的事，隨時都可打電話找她，她是會給我協助的。費小姐是在俄亥俄州州立大學進修大衆傳播的博士學位，是自費留學生，我很敬佩她發奮向上的向學精神，在紐約這段時日是她的假期。

一九八七年九月一日於紐約

友情的關懷

今天王主、田楠伉儷邀請紐約大學博士班研究生周斐和我，到他們家吃晚飯，今兒是星期日，晚餐後，酒醉飯飽之餘，我們在一塊高談闊論聊得很愉快，從波蘭團結工聯上台組閣，到匈牙利、東德、捷克、保加利亞、羅馬尼亞等國的巨變，以及蘇聯放棄一黨專政，和中國大陸未來的轉變，也談到台灣、香港未來的種種，都是一些民心趨向的事。也都是一些個人看法的一得之見，彼此處在同一時代互相交換一點對世局的觀感而已。我是自台灣旅居美國十多年的人，王主是中國留美的核子物理學者，周斐是中國留美的原子物理學家，田楠是專攻英文的女性，都對政治毫無興趣，而且他們都是二十多歲的青年，在意識形態上大體說來，我們是可以天南地北縱橫國際大局談得比較接近，也彼此感到歡暢。後來田楠問我有沒有意思回大陸看看，她說她有一位女友何玲小姐，今年五月要回北京探親，如我要回去，她可介紹我們認識，可以一塊回去，到北京後，何玲也可以帶你到頤和園和萬里長城觀光一下，這是一個很方便的際遇。田楠這一片心意是很好的，在我心中很感到友情的溫暖，但因我父母雙親已謝世，忠誠弟也已辭世，堂兄堂弟雖然還有四個人，以及弟弟和堂兄弟他們的子女孫兒輩共有六十多人，除了堂兄忠明，堂弟忠恕，忠國，忠猷外，晚輩的沒有幾個人是認識的，所以，不想回國探親。

因此，我想民主中國的春天，早晚也會有一天來到的吧。所以，我已拿定主意，願在紐約展望未來一段時間，期待中國大陸廣袤的工地上冒出春天筍尖的那時，再作回國之行的打算。很感謝田楠女士的一片好意。

一九九〇年二月十八日於紐約

作者與王主田楠伉儷湖畔合影

戈巴契夫的遠見

一個爲人民生活設想的人，就是智者。戈巴契夫在俄國可稱一位有作爲的領袖。俄國自列寧、史達林、黑魯雪夫、布里滋湟夫以來，都是一些極權專政者。最近，蘇聯最高蘇維埃在兩天內通過戈巴契夫的兩項重大改革建議，這是一個使蘇聯人民獲得人權的開始，一九九〇年二月二十七日通過創設西方式强有力的總統職位，將會改變蘇聯的政治結構和面貌。二十八日通過法律，准許人民永久持有一塊土地，那就是使人民走向財產私有化的第一步，對蘇聯的經濟改革將有重大的影響。

戈巴契夫的這種魄力，在共產國際中是值得稱道的。在民主潮流洶湧澎湃的今天，一個專政的黨是不可能永久愚民下去的。一九八九年有那麼多共黨政權，都被他們的人民一一迅速推翻，就是專政壓得人民毫無生機之故，人民都感到是在做專政者的奴隸了。在共產政權統治下的人民，子子孫孫都要做奴隸，只有少數特權階級才是奴隸主。那種官僚封建制度，遠比中國歷代帝王專政還不如，那種控制人民一切的制度，不但人民没有租賃土地的權力，也没有購買設備原料的權利，更没有任何經濟力量以創造較好的環境，那是一個多麼落後的社會制度呀？近七十年來，蘇聯人民都受着暴政的壓榨，度著窮困的日子。

在目前的情況下，戈巴契夫實有從速容許反對黨成立的遠見，只要反對黨和民間團體特別是團結工會經常監督和批評下，相信他們的政治和經濟改革，必然是更有成功希望的，也就是人民有私有財產制度的希望。有了私有財產制，人民才會發奮圖强的去努力工作。實際上没有徹底的政治改革，中產階級也不能出現，也就永遠没有西方式的民主制度，戈巴契夫的政經改革，已經是找到了西方政經起步的方向。我們願共產國家都要服膺時代潮流，向戈巴契夫的政經改革一樣的，現在即着手進行，作一個偉大的真正爲人民服務的政治家。歷史是會肯定政經改革的功績的。

一九九〇年三月二日於紐約

留美工讀的心理準備

是的，一個人的志向是不斷的追求，機遇是靠自己創造出來的。這都是做人做事的真理。

美國生活情況，每一個人都是在爲生活忙碌的。在家鄉教書，職位優越，老師地位是受別人羨慕、尊敬的，個人也輕鬆自在。到美國自費留學，不管攻讀碩士、博士，都要照顧自己的生活、房租、學雜費用等等。這要由自己安排時間做工賺錢補助開支，不像在家鄉養尊處優的生活那般悠閒了。

關於這些心理準備，要看自己有沒有出國做苦工的本事，如果有這種吃苦耐勞的能耐，那就可以做一個工讀的研究生了。只要有毅力不斷的追求，不斷的靠自己創造，一個人的機遇是會從自己手中創造出來的，就是要看自己自負的能力，夠不夠達到自己所抱負的理想境界？那就要看自己的魄力和耐性了。

一是申請那一個大學。二要通過「託福」考試。三要以自負能力以步入抱負的佳境。

一九九〇年三月十五日於紐約

讀書苦

——給有志工讀的留學生

不論那一科系，都很辛苦，尤其是不同語言英語課程，更是苦上加苦，因英文教授講課時，就像中文教授講中文課那樣快，學生必須全神貫注，集中注意力傾聽，稍有鬆解，就跟不上課程的進度了。甚至連如何發問，都不知所措，那是多麼苦惱之事。這是完全不擔心經濟問題，還是這般苦惱。當考試時，因平時功課沒有跟上進度，自然也是考不到理想學分，也就更感煩惱，這是不同語文留學生常有的事。苦以工讀生而言，還要打工賺錢照顧學雜費及衣食住行的開支，如果沒有堅忍耐勞的毅力支持自己堅決的意志，在個人精神與感情的平衡上，就會感到自己讀書的處境很艱難了。

卓犖想高風的遠大理想，就會消沉到萬丈深淵中去了。理想中的豪情壯志也會被現實的一面逼得整個人都陷入落寞的困境。想做一個出人頭地的留學生，就要有排除萬難，不懼一切艱苦的信心，年輕人有理想，有抱負，想進入美國哈佛大學，或是英國劍橋大學，大顯身手，一展雄圖，固然是值得禮讚和嘉許的事。最大問題，就在自己有沒有下地獄的精神。

自由經濟世界是天堂，也是地獄，就是要有我不入地獄誰入地獄的抱負，先從地獄做起，能衝破一切難關，在重重困苦的包圍中，仍能突破重圍，意志堅決的把持着卓犖想高風遠大的意境，以完成所嚮往的學業，那就是一個值得敬佩的現代青年了。

在踏出困難的第一步時，就是要有一切都由自己照顧自己着手，一直到學業完成，使事業有發展，婚姻有美滿的歸宿，這就是人生最高的境界吧？

一九九〇年三月十七日於紐約

在王府作客

王主與田楠小倆口，邀約新自北京來的劉音小姐。還有物理博士錢曉文和我，到他們家吃中午飯，在一起談得非常高興，他們四位都是中國菁英青年，在一起談起來，每一個人都感到十分快樂。

田楠燒得一手美味可口的中菜，餐桌上擺滿了美饌佳餚，喝啤酒，吃豐盛的美饌和北京烤鴨，聊著戈巴契夫當選蘇聯有史以來的第一位總統。當他就任總統之後，立即下令加速改革，我們相信戈巴契夫會把蘇聯人民帶到富強康樂之境，他的目標是恢復人民擁有私有土地和私有財產。從這一點出發，可看出戈巴契夫的政治家胸襟，因這樣，能誘發人民自動苦幹實幹的精神來，人民知道幹出來的利益是屬於自己的。這種希望，比什麼動聽的學說都要實惠得多。因此，戈巴契夫實在是深得民心的。

當酒過三巡，談到毛澤東的文學時，我便慷慨激昂的當席朗誦毛澤東的沁園春詠雪的詞來，「北國風光，千里封冰，萬里雪飄，看長城內外，猶餘茫茫，黃河上下，盡是滔滔，山舞銀蛇，原爲臘象，欲與天公共比高。須晴日，看紅裝素裹，分外妖嬈，山河如此多嬌，引無數英雄盡折腰。惜秦皇漢武，略輸文彩，唐宗宋祖，稍遊風騷，一代天驕成吉思漢，祇識彎弓射大鵰。俱往矣，數風流人物，且看今朝。」當我把這首詞朗誦完畢，劉音說她很喜愛這首詞的高昂的氣勢。詞意狂放是一回事，當權勢迷住心竅，不給人民有私有的土地與財富，也不給人民言論自由是另一回事。

劉音，錢曉文，王主、田楠每一個人都是可愛的年輕人，都有自己豐富的學識和專長，有自己的工作岡位，而且對人都是誠誠懇懇的。王主有溫文爾雅的做人風度，田楠有好客的熱情，劉音是第一次見面的女青年朋友，錢曉文是第二次見面的青年朋友，在談天中，他們都有特長，在談得精彩處，都像孩子般的哄堂大笑一陣，把天真無邪的性情都流露出來了。飯後，又吃了蛋糕和可樂，真是愉快的小聚。

一九九〇年三月十八日於紐約

再談讀書

——給有志工讀的留學生

讀書雖苦，但那是因人而異的事，一個有志向能達到成功境界的人，不論所學是那一科系？教育也好，物理化學也好，生化也好，醫學也好，大衆傳播都好，只要在學系中得到權威的學識，而有所創造發明，具有權威能力，而成爲專業的學者，那就是真正有學術貢獻的專家了。

因爲所學有成，在發明創造上對人類有權威的影響，像瑞典大化學家諾貝爾，美國大發明家愛迪生，都是對人類有偉大付出的人。人類永遠都會受到他們的精神鼓勵和益處。

在任何學問方面，都要立志有恒不斷的追求，就對人類有貢獻，對人類有貢獻不是偶然的事，而是每一樣事都要從辛苦中去想，從辛苦中去做，才能達到成功的境界。

人這個動物，就是有這樣偉大的魄力，越是在學業上有進境，在事業上有遠大前途的人，也就是越能奮發向上。

雖然，我們每一個人都有卓犖想高風的想法，並不是每一個人在智識或是在專業學識上，都能有諾貝爾，或是愛迪生那樣的成就，以造福人類的。但只要能夠知道向上追求，就是要堅忍不拔的做到向上力進的事，做到一分是一分，那就做到爲人的心力了。

諺云：「有志者，事竟成」。一個初入社會正在向學的青年，能把握有用的光陰，自己在努力進取，總是會有一個比較好的成就的。因此，一個愈是處於艱難處境中的人，愈是要立定大志走向學習之路，以完成學術成就，這要看自己奮鬥的精神了。

不管學那一行業，或理工，或是自然科學，或是社會科學，或是大教育家，或是大文學家，都是自興趣和辛苦學習中創造出來的。

一九九〇年三月十八日於紐約

日月潭、溪頭遊

日月潭爲國際知名的台灣風景區，是一個海拔七百六十公尺的高湖，環繞湖水四周的都是青色的山巒，湖水盪漾着碧綠的波紋。而專供遊人們遊湖的各式不同的遊艇，都偎依在湖濱碼頭。日月潭的勝景，有光華島、文武廟、玄光寺、化蕃社等名勝。八月十二日晚九時，我携小娟、小倫等下榻明潭大飯店。

在明潭大飯店五樓濱湖走廊上，憑欄遠眺日月潭的夜景，頗有出塵之感，好像置身世外桃源之地。十三日早晨七時許，乘幸福號遊艇暢遊文武廟、化蕃社等名勝。然後匆匆乘車赴溪頭。在赴溪頭的途中，看到原野一片青色田野，田野中的小茅屋就像畫家畫出來的小巧玲瓏，點綴在田野，憑添着自然風光的美景。因稻田的綠色，都是農家的手筆，那些香蕉樹大濶綠葉間懸掛着一串串青色的香蕉，和遠山峯巒交錯青翠的山景，真是一幅美麗的圖畫。

秧苗正發出淡綠的嫩芽，使整個大地都回到春色瀰漫之中。就像明代山水畫家沈周所畫的綠色原野中的山水圖畫。車抵鹿谷時，溪頭的沿途，公路兩旁的美景在細雨迷濛中，細葉竹林，每一株綠竹都搖曳着可愛的豐姿青翠欲滴，使我想到明代山水畫家仇英的竹下聽泉圖，這細葉竹瀟灑的風骨，真是可愛，好想多欣賞一會這竹影的美姿。

車抵溪頭以後，已是十二時許，與周教授、小娟、小倫在溪頭的大岩石上進午餐。這些岩石都在溪水中和溪流的岸邊，一邊進餐，一邊欣賞着清流激湍的好景，四周都是青綠的野生植物，這環境是詩意的，是純真的，是原始的。

餐後，漫步在森林中，溪頭的大森林每一株杉木都高約三十公尺，俊美茂密，十分可愛。從森林散步到大學池，看一池碧綠的池水，微波盪漾，而拱形竹橋，極富詩情，佇立橋頭，手扶着竹橋欄杆，四顧周圍山水美景，已足使人發思古幽情，也可算得人間一大樂事。

一九七二年八月十三日於台北

住院記

十一月二十三日下午二時，遵從杜聖楷大夫所囑，準時前來國防醫學院附設診所報到。這一天是星期日，這家診所，世稱中心診所，在台灣很享盛名。當我到該所報到時，一位護士小姐很和靄的把我帶進一號病房，並且謙和的讓我住在這雅致的房內，這兒空氣清新，陽光也很溫和。一位男工友送一壺白開水來。後來一位女工友又送五磅開水在另一個熱水瓶中。當我躺下病榻不久，一位護士小姐前來給我量體溫，俄傾，一位醫師來給我量血壓，不久，又來一位醫生給我驗血和驗小便。

後來，主治醫師杜聖楷大夫告訴我說，明天（二十四日）上午八點鐘給我開刀。雖然是痔漏的外科手術，對於開刀，使得我的心情感到非常緊張，當工友把晚餐端在面前時，我說不要吃好了，醫師和護士小姐都來對我說，只管吃飯，没有什麼事。在睡眠之前，另來一位護士小姐給我灌腸，大便解出後，我仍不放心，又請她再灌一次腸，她慨然應允了。第二次到便所坐在馬桶上，各把藥水拉出來了，最後，拉出一點點大便。當我睡眠時，一位護士小姐又給我一粒安眠藥吃，因以前她已給我吃過一粒了，就這樣的，我矇朧入睡了。

當我入睡之際，麻醉醫師來了，他道歉的說：「對不起，我現在才來看你，我是麻醉醫師，明天，我來給你注射麻醉劑。」我也很客氣的向他要求著明天多打一點麻藥，使我開刀不會痛，他以保證的口氣，不怕，不怕，決不會痛的。

二十四日清晨，醫院內的工作者們，把開刀的手術檯推進我的病房，給我一條醫院公家的褲子，我穿上，躺在手術檯上，他們把我推入開刀房，麻醉醫師問我過去打過盤尼西林沒有？我說七年前打過一次，那時還没有生這病。

於是，醫師開始給我打麻針了，我仍然囑咐他爲我多打一些麻藥，第一針感覺有點痛，以後，他繼續在不同的地方給我注射麻醉劑，並且一邊問我痛不痛？我說不痛，杜醫師在給你開刀了，麻醉醫師告訴我，這時我一點也不知道痛。

手術完畢以後，很多醫護人員把我護送回我的病榻上，一位護士小姐忙著把枕頭去掉，不讓我用枕頭，並告訴我如果噁心時，請拉床頭邊的紅燈。不久，我真的要嘔吐，我照辦了，紅燈一拉，一位值班的護士小姐馬上來了。她拿著一個白搪瓷盤到我面前，很親切的幫著我，我吐出很多粘液性的酸水，稍等一會麻醉過去了，已經感到創口發痛了。

這裏的護士小姐們都是很親近病人的，在住院的七天中，她們都像自已家人親戚一樣，像照顧親人般的照顧著病人。醫生們都是和善親切的，明天三十號了，明天上午就要出院了。在住院的一段時間內，因受到醫師、護士小姐和男女工作人員的醫護照顧，使我在內心中深深感到醫護人員都是博愛偉大的。他們的心地之美，使我有一種說不出的感念情懷。

一九五八年十一月二十九日國防醫學院附設診所。

附錄

寄親友短簡

致詩人文曉村兄

曉村兄：

頃接到兩份複印本，古繼堂寫的「中原的靈光——河南籍台灣作家漫談」。及「台灣新詩發展史」，關於區區的部分，我都分別讀畢，深爲感謝之至。古繼堂這位北京科學院文學研究所副研究員，對中國文學的研究，與吾兄對中國文學的貢獻，都各有相當成就存在於中國文壇。你們都有熱烈的愛心，才有精神文明的成果呈現於社會大衆之前。

這是要有一種只知付出的心情，才能辦得到的文化事業，非常敬佩你們的如椽大筆，寫出那樣傑出的篇章來。一個心胸淳厚的文學家，相信在不久的將來，必能有更輝煌燦爛的成果奉獻給二十一世紀的中國，祝福你們默默地爲中國文學美麗的明天耕耘吧。因你們都把黃金歲月獻給了文學，才能使人感到品格高潔，器宇軒昂。這是今天世界上最可珍貴的一頁史實。

吾兄參與香港世華詩協常務理事會情況如何？請便中告知一二。

祝你

健康愉快。淑嫦嫂安好。

弟 佩徵 敬上

一九八九年九月八日紐約

致女詩人康志强女士

志强女士：

你好。七月一日華函已拜讀敬悉。前閱「當代短詩選」及「她們的抒情詩」，已拜讀到你的大作〝小船〞及〝花環〞二詩。在作者簡介中，已知你的一些情況。今讀大札，更加了解你的事業狀況，及家庭幸福情形，嚴先生是名作家，大千金已在吉林大學讀生物化學二年級，可謂書香世家。在小船中，你說小船不靠桅杆和風帆，剪開一個浪峯又一個浪峯，橫渡過蒼茫的大海，那是多麼雄偉而堅毅的氣魄呀？花環是另一種美好意境的構成，都是很好的詩篇。

我，是河南信陽人，一九二〇年生，一九四九年前在信陽禮節路經營李興盛商號。同年四月到漢口，因平漢線花園車站交通中斷，即到廣州，後飛廈門。一九四九年九月自廈門赴基隆，在台北生活三十年。一九五五年在台灣大學讀兩年書，一面經營百貨商業。一九七八年來美住兩個月，同年七月回台北。一九七九年一月十七日第二次來美迄今已七年。在台北經商時，一九六二年與詩友文曉村、陳敏華、宋后穎、王在軍、藍雲等創辦葡萄園詩刊。一九七七年出版「小船之歌」詩集，一九八〇年出版「旅美詩抄」詩集，以上兩書均中英對照版本。一九八二年出版「潑墨之雲」詩集，一九八四年出版「雕刻家的石像」詩集，均中文本。

在美國居住，等於度林下生活，除了徜徉公園林下，或到湖邊散步，就是看老美打網球或看籃球。信陽老家有我弟弟、弟妹及姪兒姪媳、姪女、姪孫、姪孫女們十餘人，但我只是一個人在外，他們也常來信要我回家鄉去住，而我的心情常在矛盾之中，要到過些年再作決定吧。

讀到你的信時，感到中國文化仍是具有淳樸敦厚的一面。好了。請你代我向嚴先生致敬意！向你的大小姐致謝意！因她暑假回北京還替我買詩選寄書。非常謝謝你們的幫助和愛護。祝

閤府安康愉快

李佩徵　敬上

一九八五、七、十、紐約

致女詩人宋后穎小姐

后穎小姐：

謝謝你寄來的「新秋」詩選。你的「叮嚀」是一首很好的詩，它不僅是對於應屆畢業生的人生航向，本身就是一種人生觀的指南針。「一步步踏實穩健的自己走吧，要深信自己的智慧與能力，千百年來，路，就是這麼一步步走出來的。以永恆十七歲的熱情擁抱世界。以赤子的好奇去接納你的周遭，以只問耕耘的勤奮去拓未來，更以無比的愛心包容一切不滿。」這些詩句，是引領同學們循著愛心以迎接人生，以創造美好世界。也是啓發人們從荊棘的路以開創康莊大道。

理。世界一切美好的事物，是要靠自己奮鬥出來，這首詩很有人生哲理。不只是叮嚀了每一個有良知的人。雕刻家的石像詩集的封面，文曉村兄來信說，那幅油畫太現代了一點，因是精裝，不用封面也好。大約四月底可以出版吧？到時仍請你指正。祝你永遠快樂。

李佩徵　敬上

一九八四年三月二十六日紐約

給壽月姪女

壽月姪女：

來信讀悉，甚喜。首先恭喜你生第一個麟兒，深爲你高興。知你在德州一切情況都好，你爸爸已返台。我在紐約已住三年，一切都已習慣，住家這兒可乘地鐵到紐約很多大街和中國街，交通四通八達，都很方便。

住在一樓臨窗的一個大房間，一個浴室，一個廚房，我一個人用，一切都便利。紐約中文報紙很多種，每天看看報紙新聞，也讀一些文藝書刊。有興趣時也寫一點新詩，每天也出去散散步，就這樣很快的已度過三年。食衣住行都與台北相同，身體尚健。你的母親真能幹，把女兒都撫養成人了，而且都成家立業了。在台北南昌街時，你只是一個小女孩，曾幾何時？你已大學畢業，並已來美結婚生子，現在已作人母了。祝你家庭幸福！寶寶聰明可愛。

若寫家信時，問你爸媽及全家都安好。順祝

閤府健康快樂

愚伯李佩徵　敬覆

一九八一年十二月廿九日紐約

給忠恕三弟

忠恕三弟：

接到你的來信，知道你的近況，及恒信、久信兩侄都有很好的工作，恒信現任中學英文教師。英文是世界性的語文，用處非常廣泛，走到世界任何一處，只要英語好，都有用處，看到信，感到十分高興。尤其你已有了三個孫子，三個孫女，那真是你和許妹的好福氣。

你和忠明大哥、忠國、忠獻兩弟。今後盼能多注重健康之道，盼都能松柏長青，活到百歲。忠明大哥已是曾祖父的老人了，其他諸弟們都是祖父級的長者了，真為諸兄弟們感到驕傲。

我來美國已有五年多了，生活是很清閒，每天看看報紙，讀點新詩、散文，有時也聽一點英語錄音，身體精神也都很好。偶然也寫一點新詩消遣，都寄到台北發表。上次真信侄女來信說，有信侄已有孫子了，真是你們人丁都很旺盛，都是兒孫滿堂，那就是福。太好了。

祝你和許妹都
健康愉快。全家幸福。

愚兄忠良　敬覆

一九八四年四月九日紐約

致台北羅小姐

羅小姐：

南昌街的生意還可以維持生活費用吧？時間真是過得快，小娟、小倫他姐弟二人，在武功幼稚園與河堤國民小學讀書時，好像是昨天的事。

在河堤國小畢業典禮大會上，我去看小娟、小倫表演節目，在會中小倫用手推滾著大球，那個童稚的模樣很可愛。一眨眼小娟已讀高中了，小倫也讀初中，小芬也讀小學四年級了。

你雖然辛苦教養這三個子女，看他們都是一天天的長大，完成他們的教育，再過幾年他們都成家立業了，也算得到安慰了。也許我是沒有跟別的孩子親近過的緣故，總覺得小娟、小倫、小芬他們都是乖巧聽話的孩子。也希望他們將來在婚姻上都有一個美滿幸福的家庭。

我在美國生活過得很好，剛來美國那年出版了一本「旅美詩抄」詩集，現在已把「潑墨之雲」詩稿整理就緒，即將寄去台北，出版「潑墨之雲」詩集。我就是這樣的，在美國雖然空閒，但是自己除了看書看報和到處旅遊之外，在家中總會找一點工作做，以打發一日日漫長的時間。請你轉告你的幾個兒女，教他們好好用功讀書，書讀好了，才能知書明理，長大成人之後，才能憑藉自己的智能常識對社會有所貢獻。好了，以後再談。敬祝

健康愉快。

李佩徵　敬上

一九八一年十月一日紐約

給楓信姪女

楓信姪女：

九月十五日來信已讀，知你和你三哥都知用功學英文，你們若是真能學好一種外文，不管在國內國外都有用處，對自己都有益處。只要盡力去學，記熟寫熟，而且會說出來，多多練習，久了，就會對英文有興趣了。

關於集郵的事，在台灣時，曾經集了一段時間的郵，到美國六年來，就沒有集郵了。不知信陽是否有郵票商？如果有集郵商店，就可到商店去選購自己比較喜歡的郵票，都是一套一套的選購，有全世界很多國家的郵票，都是新發行的，種類繁多。把郵票買回，用鉗子把一張張的郵票裝進護郵袋內，郵票的齒輪要保持完美。如「美國太空人登月」一全，或「英國農村建築」四全，把這些裝好的郵票，擺放在集郵册内就好。郵票册要放在乾燥地方，不能受潮濕。你如果能把郵票集得好，可以自己欣賞郵票圖案上多彩多姿的文采。我在這兒很好。祝你和你父母及你哥哥嫂嫂們

全家安好。

老爹忠良　手書

一九八四年九月廿九日紐約

後記

「湖畔隨筆」散文集，是我的第七本書，也是在美國近年來一些即興小文。承蒙曉村兄計畫在寒假時協助我把這本書和另一本「紐約湖畔」詩集同時出版，十分感謝他的厚愛之意。

出版這本書，是個人漂泊異鄉生活的一些星星點點的事。不論抒情、寫景，都是發自單純的由衷之言，所以稱這些作品爲即興小文，就是一些隨興的素描吧？也可說是在生活中的一些率性之作。

因爲感到一個浪跡海外者，只要在生活上自己感到還能愜意稱快，也就足以滿足一切遐想了。寫這些小文，其實是很嚮往著世界每一個角落都有如此美好的情調的。

在這個憂戚的年代，像我這樣一個他鄉遊子，能有一點使生活閒適感到可愛之處，以短篇小文發抒出來，就已是可以珍貴的了。在書中共收二十五篇（有兩篇是早年在台灣的作品）小文，並附一卷「寄親友短簡」都是個人在生活上的一些小品。

我對寫作，没有遠大理想和抱負，但不管是好是壞，只要寫出一點東西，能夠出版就出版了。在此，先謝謝文史哲出版社主持人彭正雄先生賜助出版；更感謝老友曉村兄和邱淑嫦賢伉儷，爲本書策畫、賜序、編校等。也感謝葡萄園詩社同仁們的鼓勵與協助之情。

李佩徵一九九〇年三月三十日於紐約

文學叢刊 ㉞

湖畔隨筆

著者：李佩徵

出版者：文史哲出版社

登記證字號：行政院新聞局局版臺業字〇七五五號

發行所：文史哲出版社

印刷者：文史哲出版社

台北市羅斯福路一段七十二巷四號

郵撥〇五一二八八一二彭正雄帳戶

電話：三五一一〇二八

實價新台幣一四〇元

中華民國七十九年五月初版